UN ŒIL SUR

À la recherche
du premier homme
...et de ses ancêtres

Auteur :
Robert POITRENAUD, Georges DELOBBE.

Collaborateurs : Lucien BUISSON, Roger MERCIER.

Sommaire

AU FIL DES DÉCOUVERTES

Depuis les premières découvertes de la fin du XVIIIe siècle jusqu'à celles du troisième millénaire qui remettent en question les théories établies sur l'origine de l'homme et des préhominiens.

LES PREMIERS HOMMES

Quels sont actuellement les fossiles considérés par la communauté scientifique comme les premiers spécimens de l'espèce humaine ?

À la recherche du **premier homme**
... et de ses ancêtres

L'homme de Pékin,
trônant à l'entrée du musée de Pékin.

* On appelle « *chaînon* » une espèce qui, dans l'évolution linéaire, se situe entre deux espèces distinctes, possédant des caractères de ces deux espèces. Dans le cas du chaînon manquant, il s'agit de l'espèce intermédiaire entre le singe et l'homme qu'on pourrait appeler le « singe-homme ». Cette notion perd de son sens dans l'hypothèse d'une évolution dite en mosaïque ou en buisson.

Concernant l'origine de l'homme, nous disposons aujourd'hui d'un certain nombre de certitudes et il existe plusieurs hypothèses, parfois contradictoires, qui semblent possibles sinon probables.

Les scientifiques sont en perpétuelle recherche et la vérité d'un jour peut être démentie ou remise en cause par de nouvelles découvertes.

L'état actuel des connaissances scientifiques permet de penser que la recherche du premier homme est, comme celle du « *chaînon manquant* »*, illusoire et peut-être inutile.

Certains caractères, attribués exclusivement à l'homme pendant de nombreuses années, ont été retrouvés chez les grands singes quand ceux-ci ont fait l'objet d'études sérieuses, dans leur milieu et sans *a priori*, durant la seconde moitié du XXe siècle.

Aujourd'hui, on ne parle plus que de degré dans l'affirmation d'une caractéristique, que ce soit la bipédie, l'utilisation de l'outil, le développement du cerveau et de l'intelligence et même de la culture.

Pourtant les paléoanthropologues continuent leurs recherches sur le terrain et les découvertes spectaculaires, tels Lucy, Abel, Orrorin et Toumaï, secouent le monde scientifique.

Quelles sont les conditions de ces recherches ? Sur quels critères reposent les identifications ?

Premiers habitants
du Roussillon.
Dessin d'Éric Guerrier.
[Musée de Tautavel,
Pyrénées-Orientales]

Faire le point sur ces questions est le propos de cet ouvrage. Il permettra peut-être de bousculer certaines idées reçues que l'on a peine à abandonner tant l'homme est convaincu de sa supériorité.

Parmi les trois questions fondamentales, « Qui sommes-nous ? », « D'où venons-nous ? », « Où allons-nous ? », il semble que ce soit la seconde qui se rapporte spécialement au titre de cet ouvrage.

Or, au départ de cette recherche, nous ne pouvons faire l'économie de la première, « Qui sommes-nous ? », car il nous faut savoir à quoi ressemble ce que nous recherchons : un être qui n'existe plus que sous forme de fossile et qui a possédé toutes les caractéristiques fondamentales de l'homme actuel.

Quelles sont ces caractéristiques qui ne peuvent être qu'anatomiques ou biologiques ?

Est-il possible de dresser le portrait-robot du premier homme ?

Aucun être humain, vivant actuellement sur terre et mis en présence d'un homme et d'un chimpanzé, ne se poserait la question : lequel est l'homme, lequel est l'animal ?

QU'EST-CE QUE L'HOMME ?

D ans l'univers de *La Planète des Singes**, la différence est moins évidente. Se peut-il qu'au temps des premiers hommes la question se soit posée ?

Quoi qu'il en soit, il semble que dans cette affaire ce soit l'habit qui fait le moine. Même Kanzi, le bonobo** prodige capable de construire des phrases, ne trouverait pas grâce à nos yeux.

Par contre, une seule trace de pas a suffi pour qualifier celui qui en était la cause « *d'abominable HOMME des neiges* » !

Ceci pour dire que la sentence populaire est le résultat des habitudes : on n'a jamais vu un homme avoir l'apparence d'un singe et vivre comme un chimpanzé. Et, bien sûr, l'homme revêtu d'une peau de singe reste un homme.

Définition de l'homme

Il faut donc trouver la définition de l'homme autrement que dans son apparence.

Pour le Larousse, c'est « *un mammifère de l'ordre des Primates, doué d'intelligence et d'un langage articulé, caractérisé par un cerveau volumineux, des mains préhensiles et la station verticale* ».

Remarquons d'entrée que cette définition peut convenir en grande partie au bonobo** (en exceptant le mot « articulé » dont il faudra définir la portée). Tout est question de nuance, tant pour l'intelligence que pour le langage.

Donc cette définition est insuffisante. D'autant plus qu'elle ne tient plus devant un cadavre et encore moins devant un élément de squelette, lequel est souvent, pour les paléoanthropologues, le seul indice leur permettant de classer leur découverte. Ajoutons que le régime alimentaire a une grande importance car il détermine la denture qui sera un des principaux éléments de la classification des espèces fossiles.

La définition de Diderot compléterait utilement celle de Larousse : « *Homme, c'est un être sentant, réfléchissant, pensant, qui se promène librement sur la surface de la Terre, qui paraît être à la tête de tous les autres animaux sur lesquels il domine, qui vit en société, qui a inventé les sciences et les arts.* »

Et bien sûr, sur un plan philosophique, celle de Pascal, pour qui « *l'homme est un roseau pensant* », la pensée étant pour lui le moyen de compenser sa fraligité au sein de la nature.

Les interventions de Diderot et de Pascal dans cette recherche d'une définition de l'homme prouvent que la limite entre science et philosophie est vite franchie. Ce n'est guère surprenant : l'homme, dans sa réalité complexe, n'est-il pas l'objet même de la philosophie ?

Avant de partir à la recherche de l'homme fossile, attachons-nous d'abord à l'être vivant et revenons à la première définition. En allant du plus courant au plus rare, il aurait sans doute été souhaitable de classer les caractères dans cet ordre : mammifère, primate, station verticale et bipédie, régime alimentaire et denture, main préhensile, cerveau volumineux, intelligence, langage articulé.

Et il semble qu'il y manque : la vie en société et l'habitat, le dimorphisme sexuel, la capacité de concevoir des outils, la notion du temps et la faculté de penser l'avenir, de créer et d'accéder à la culture et à l'art.

En somme, c'est le niveau d'intelligence qui distinguerait l'espèce humaine des espèces animales. Pourtant, ce niveau est très divers chez les hommes et l'on connaît nombre de situations desquelles certains animaux semblent plus capables de se sortir que l'homme livré à lui-même. Mais, rétorque-t-on, certains hommes sont capables de créer les outils susceptibles de pallier cette infériorité.

On peut aussi se poser la question de savoir si un extraterrestre se posant sur Terre à l'aide d'une machine prouvant son intelligence supérieure aurait droit de ce fait à être qualifié d'homme.

Bonobo mâle
d'Afrique centrale.

* Dans *La Planète des Singes,* livre de Pierre Boulle qui a fait l'objet de plusieurs films et d'un feuilleton télévisé, les rapports entre les hommes et les singes sont inversés. Les singes sont maîtres de cette planète où quelques hommes sont arrivés par accident. Il se trouve que cette planète représente pour Pierre Boulle notre futur si une guerre atomique avait lieu.

** Bonobo : chimpanzé des forêts de la rive gauche du Congo, moins corpulent que le chimpanzé commun mais dont les caractères sont les plus proches de ceux de l'espèce humaine.

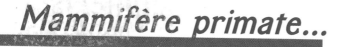

Parmi les mammifères, les Primates constituent un ordre : ils ont des mains préhensiles, des ongles plats, une denture complète et un cerveau très développé.

Le terme de *primate* est utilisé bien souvent dans un sens péjoratif. Il est souvent associé à celui de singe, alors que les Primates comprennent trois sous-ordres : lémuriens ou prosimiens, singes ou simiens et hominiens.

Remarquons au passage que c'est la volonté préconçue de distinguer l'homme de l'animal qui a fait créer ce sous-ordre d'hominiens ne comprenant qu'une seule espèce. Certains scientifiques actuels incluent l'homme dans le sous-ordre des simiens. Notre amour propre mis à part, reconnaissons que cette distinction ne présente pas une importance fondamentale, l'espèce restant, on le verra, le véritable caractère distinctif.

Les prosimiens

Les prosimiens ou lémuriens sont adaptés à la vie arboricole et ont un régime omnivore à dominance végétarienne. Main et pied ont le premier doigt opposable aux quatre autres. L'index est griffu, les autres doigts portent des ongles. Les principales espèces sont le toupaye, le galago, le tarsier et le maki.

Tarsier des Philippines.

Les simiens

Les singes ou simiens sont plus ou moins arboricoles. Ils ont la face souvent dépourvue de poils et un cerveau fortement développé. Le crâne est volumineux et le museau le plus souvent réduit. La platitude de la face leur permet une vision binoculaire. La musculature de la peau leur donne une mimique très expressive.

La longueur des bras est caractéristique, ce qui les rend aptes au grimper et au déplacement de branche en branche.

Le pied est muni d'un gros orteil opposable et les ongles sont plats.

On distingue deux catégories en fonction de leur habitat géographique :
- les singes des Amériques ou *Platyrhiniens* ont les narines écartées, une denture de 36 dents et une queue préhensile. On peut citer le ouistiti, le sapajou et l'atèle ;
- les singes d'Afrique ou *Catarhiniens* dont la queue est absente ou non préhensile. On distingue les petits singes, macaque ou babouin, des grands singes dits *Anthropoïdes,* gibbon, orang-outan, gorille et chimpanzé.

Les grands singes

Parmi les Primates, les plus proches de l'homme sont les grands singes africains et en particulier les chimpanzés dont une espèce, le bonobo, présente toutes les caractéristiques attribuées à l'homme si l'on excepte celles que l'on peut qualifier de culturelles.

Malgré une étroite parenté chromosomique, le chimpanzé se distingue de l'homme par divers caractères. Son aptitude à grimper résulte de longs pieds au pouce opposable qui lui permet de s'agripper aux branches. La jambe est courte et fléchie, le bassin allongé verticalement, les bras très longs. La face est sans menton avec des mâchoires longues et des canines dépassantes. Un fort bourrelet se distingue au-dessus de l'orbite. Le corps est velu. Par rapport à l'homme, la taille est inférieure et la capacité crânienne plus réduite. Le jeune atteint la puberté vers l'âge de six à huit ans et la longévité de l'adulte est de l'ordre de cinquante ans.

Les chimpanzés vivent en bandes de composition variable avec une vie sociale hiérarchisée.

Les espèces

Les ordres ou sous-ordres* comprennent les familles qui présentent un certain nombre de caractéristiques communes. Dans les familles se distinguent les espèces, collections d'individus plus ou moins dispersés dans l'espace géographique, qui partagent la capacité de se reproduire entre eux : c'est l'interfécondité. Il est bien évident que cette distinction permet de placer l'espèce humaine en dehors de toutes les espèces animales. Mais cette différenciation n'est valable que pour les espèces vivant encore actuellement sur terre et non pour les espèces fossiles.

* La classification traditionnelle distingue seulement deux règnes vivants, les animaux et les végétaux. Ces règnes étaient divisés en un petit nombre d'embranchements, eux-mêmes divisés en classes, ces dernières en ordres, à leur tour partagés en familles, constituées de genres, formés chacun de plusieurs espèces. De nos jours, on a multiplié les échelons : sous-règne, sous-ordre, superfamille, sous-espèce, variété, etc. Cette classification est basée sur des ressemblances. On cherche aujourd'hui une classification basée sur la génétique.

... *du genre* Homo

Les hominiens ne comprennent qu'une seule espèce vivante : l'homme. Cette espèce, c'est *Homo sapiens* et ce n'est qu'après avoir étudié les espèces fossiles *habilis, erectus*... que nous pourrons définir plus largement le genre *Homo* sous les formes différentes auxquelles il pourra apparaître aux yeux des chercheurs.

« *Du point de vue de la science, l'homme n'est qu'un être de nature, un animal parmi d'autres...*

Il est doué sans doute de facultés exceptionnelles comme le langage, certaines formes bien spécifiques d'intelligence, un rapport original au temps, aux valeurs éthiques, politiques ou esthétiques [...] mais ces spécifités elles-mêmes ne sont que les résultats de processus d'adaptation qui, en leur fond, ne se distinguent pas de ceux auxquels ont dû recourir pour survivre les calmars, les termites ou les éléphants.

« *Certes l'humain aurait des caractères spécifiques, mais au même titre que tous les autres animaux. Aucune spécifité radicale ou essentielle, donc, seulement des caractéristiques particulières, analogues dans leur principe à celles que possèdent toutes les autres espèces vivantes ayant réussi leur adaptation au milieu. Ni plus, ni moins.* »

(Luc Ferry, in *Qu'est-ce que l'homme ?*, Luc Ferry et Jean-Didier Vincent, Éd. Odile Jacob.)

La croissance

Sur le plan anatomique et physiologique, le genre *Homo* présente peu de caractères distinctifs par rapport aux autres Primates. C'est principalement l'allongement de la croissance postfœtale qui fait la différence. Cette particularité augmente le temps de l'apprentissage et du développement du cerveau. Elle donne également à l'homme la faculté d'apprendre perpétuellement et de transmettre le savoir accumulé aux générations suivantes.

De ce fait l'homme évoluerait continuellement, alors que l'animal vivrait aujourd'hui comme il vivait il y a des milliers d'années*.

Cette dernière affirmation est remise en cause par certains scientifiques, surtout depuis que des études approfondies ont été menées sur les populations de grands singes dans leur milieu par Jane Goodall, Dian Fossey et Biruté Galdikas, surnommées « les trois anges de la primatologie ».

* Notons toutefois que certains animaux ont su s'adapter à de nouvelles niches écologiques.

Le cerveau développé de l'homme lui a rendu possible la conception d'outils dont il avait besoin pour développer ses activités. Il lui a donné la faculté de créer un langage que la forme particulière de son larynx lui a permis d'articuler. Enfin il lui a donné accès à la culture et en particulier à l'art.

Sur le plan de la vie en société, l'homme a été capable, sans doute plus que les autres Primates, d'adapter son habitat et ses règles de vie aux modifications climatiques, économiques et culturelles.

Nous avons vu que, parmi les Primates vivants, ce sont les grands singes qui sont les plus proches de l'homme. Ce qui a amené à créer un sous-ensemble, les Hominidés *(voir tableau ci-dessous et encadré p. 12).*

La famille des Hominidés.

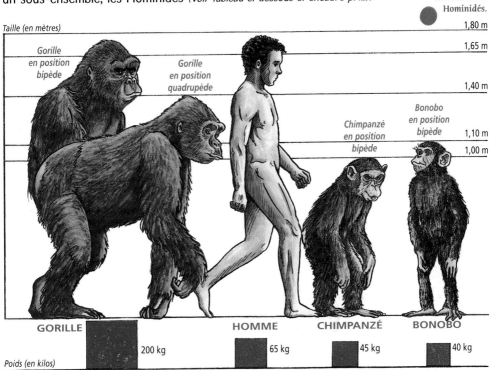

Taille (en mètres) — 1,80 m / 1,65 m / 1,40 m / 1,10 m / 1,00 m

Gorille en position bipède — Gorille en position quadrupède — Chimpanzé en position bipède — Bonobo en position bipède

GORILLE — HOMME — CHIMPANZÉ — BONOBO

200 kg — 65 kg — 45 kg — 40 kg

Poids (en kilos)

La génétique

Les dernières avancées concernant la différence entre l'homme et l'animal viennent de la génétique. L'étude des génomes respectifs montre que 98,7 % des séquences d'ADN de l'homme sont les mêmes que celles du chimpanzé (99,3 % pour le bonobo). Pourtant, on note de nombreuses différences dans la morphologie et le comportement.

Pour certains biologistes, cette comparaison ne représente rien, car tous les gènes n'ont pas le même pouvoir d'expression. C'est le nombre de cellules nerveuses qui a de l'importance.

Par exemple, la surface du cortex frontal, siège de la faculté d'apprendre, occupe chez l'homme 29 % de l'ensemble du cerveau alors qu'elle n'occupe que 17 % chez le chimpanzé et encore moins chez les autres singes à capacité crânienne équivalente.

Il apparaît donc que l'expression de certains gènes, en l'occurrence ceux qui président au développement du cerveau, est différente. Des expériences sur l'ADN ont montré, en effet, que la capacité de fabriquer les cellules de certains organes comme le foie ou le sang est équivalente chez l'homme et le chimpanzé, alors qu'elle est très différente pour le cerveau. L'ADN de l'homme peut en fabriquer plus, ce qui expliquerait chez lui un surcroît de matière grise.

CARTE D'IDENTITÉ DE L'HOMME
établie selon la classification traditionnelle

Règne :	animal
Embranchement :	vertébré
Classe :	mammifère
Ordre :	primate
Superfamille :	hominoïde
Famille :	hominidé
Genre :	*Homo*
Espèce :	*sapiens*
Sous-espèce :	*sapiens sapiens*

Homo : le genre *Homo* regroupe toutes les espèces actuelles ou fossiles de l'homme.

Hominiens : on regroupe sous le nom d'hominiens les espèces du genre *Homo* ainsi que les espèces fossiles considérées comme les ancêtres de ce genre. Certains auteurs y ajoutent les espèces voisines de l'homme.

Hominidés : famille de Primates comprenant les hominiens et ses proches voisins (gorille, chimpanzé, bonobo).

Hominoïde : superfamille comprenant les Hominidés, plus l'orang-outan et le gibbon.

Tous les auteurs ne respectent pas cette classification. *(Voir p. 36.)*

Station verticale et bipédie

Quelles qu'en soient les raisons, encore discutées aujourd'hui, l'homme moderne se tient parfaitement droit et pratique la bipédie intégrale. Cela se traduit dans la conformation de son squelette par rapport aux grands singes.

Dans l'apparence générale, on constate que le centre de gravité est, pour l'homme, situé plus haut, à l'aplomb des pieds. Le rapport entre les longueurs des membres inférieurs et supérieurs montre que les bras des singes sont proportionnellement plus longs, ce qui leur permet de pratiquer occasionnellement la quadrupédie.

La colonne vertébrale de l'homme est plus souple et sa courbure lombaire inversée par rapport à celle du singe.

Ce qui entraîne une position différente du bassin, mieux placé pour soutenir les viscères.

Gorille   Homme

Chez les grands singes, la longueur des bras, la courbure du dos, la position du bassin sont les marques de la pratique de la quadrupédie et de la bipédie. Le centre de gravité est situé plus bas que celui de l'homme.

Dans le détail, on remarque qu'une crête empêche la rotule de se déboîter pendant la marche et que le blocage du genou assure la rigidité de la jambe en extension.

Un élément important est que la jonction de la colonne vertébrale et du crâne (trou occipital) se trouve au-dessous de celui-ci, ce qui permet le développement de la cavité crânienne et du cerveau *(voir crâne p. 21).*

Quant au pied, le gros orteil est rapproché des autres doigts et la voussure fait porter le poids du corps sur le talon.

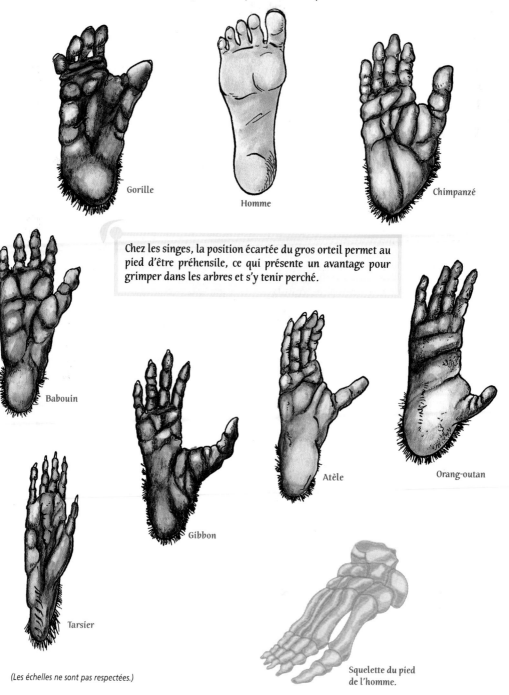

Gorille

Homme

Chimpanzé

Chez les singes, la position écartée du gros orteil permet au pied d'être préhensile, ce qui présente un avantage pour grimper dans les arbres et s'y tenir perché.

Babouin

Atèle

Orang-outan

Gibbon

Tarsier

(Les échelles ne sont pas respectées.)

Squelette du pied
de l'homme.

Main préhensile

Gorille

(Les échelles ne sont pas respectées.)

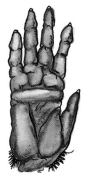

Chimpanzé

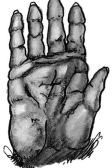

Orang-outan

Babouin

Atèle

Les mains des primates

Tous les Primates ont des mains préhensiles avec le pouce opposable aux autres doigts. On note des différences dans le rapport de longueur de la paume et des doigts. En général, les ongles sont plats. Certains prosimiens ont un doigt atrophié, comme le Potto de Bosman ci-contre.

Gibbon

Tarsier

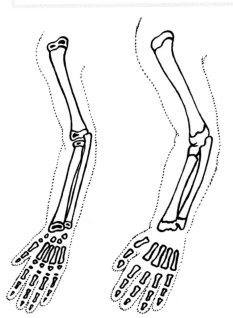

Bras d'un nouveau-né de catharhinien* (à gauche), bras de bébé humain (à droite).

Main droite de gorille.

Main droite d'homme.

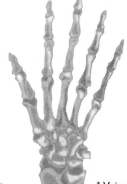

* Voir p.20.

Régime alimentaire et dentition

* Voir p.38.

Les Primates, et en particulier les singes, se nourrissent principalement d'insectes, de feuilles et de fruits. Certaines espèces, omnivores, consomment de la viande. Ce régime alimentaire aurait une influence sur la taille du cerveau. Les carnivores, qui doivent chasser, auraient une intelligence supérieure à celle des herbivores ou des frugivores qui se contentent de brouter ou de cueillir. Cette théorie ne présente guère de solutions aux problèmes de détermination que rencontrent les paléoanthropologues*.

Par contre, l'incidence sur la dentition est importante du fait que les dents sont les fossiles les plus nombreux car les plus résistants. Le régime alimentaire influe sur la répartition (denture), la forme et l'usure des dents. Il détermine également l'épaisseur d'émail sur les molaires.

Chez les petits carnivores, les canines (crocs) sont très développées. Chez les herbivores, ce sont surtout les incisives qui sont utilisées pour couper et les molaires pour écraser.

Chez les frugivores, les incisives sont développées alors que les molaires sont de taille modeste. Ces dernières ont des reliefs arrondis et l'émail n'est pas très épais.

Chez les mangeurs de feuilles, les incisives sont moins utiles. Par contre les molaires sont allongées et munies de crêtes.

Chez les omnivores comme l'homme, les canines, les incisives et les molaires sont réparties en fonction des besoins liés au régime.

Chez les singes, la couche d'émail qui recouvre les molaires est très fine alors qu'elle est relativement épaisse chez l'homme.

Pour le paléontologue Yves Coppens, professeur au Collège de France, l'usure de l'émail des dents permet de comparer le temps de l'enfance : *« L'usure différente de dents successives montre une durée plus longue de l'éruption dentaire. Si les dents poussent plus tardivement, le stade adulte arrive lui aussi plus tardivement, ce qui indique que l'enfant a passé davantage de temps en compagnie de sa mère. La preuve : nos dents mettent trois fois plus de temps à pousser que celles des chimpanzés**. »*

** La Plus Belle Histoire du monde, Éd. du Seuil.

Chien (carnivore)

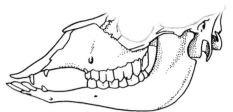

Lama guanaco (herbivore)

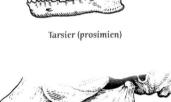

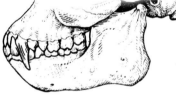

Tarsier (prosimien)

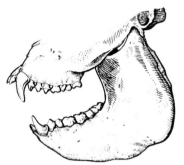

Singe hurleur (Platyrhinien)

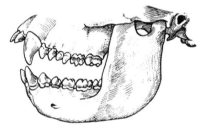

Langur (Catarhinien)

Gorille (Catarhinien anthropoïde)

Différents types de mâchoires. ●   *(Les échelles ne sont pas respectées.)*

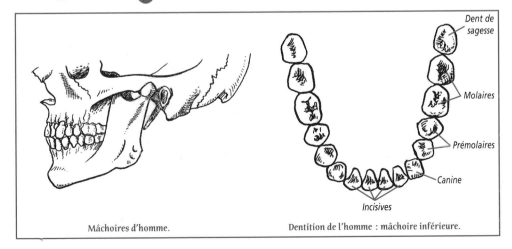

Dent de sagesse

Molaires

Prémolaires

Canine

Incisives

Mâchoires d'homme.

Dentition de l'homme : mâchoire inférieure.

Certaines dents des Primates, comme celles des grands singes, se différencient au niveau des molaires par le nombre de surfaces arrondies, les tubercules (4 ou 5).

Chez les singes, la denture complète est de 36 dents chez les Platyrhiniens et de 32 en général chez les Catarhiniens.

Homme et chimpanzé

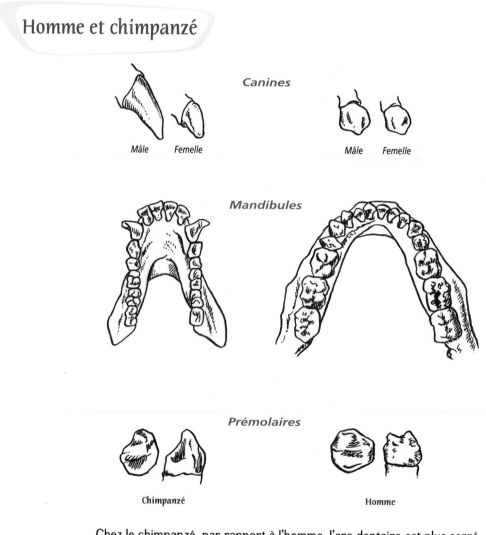

Canines

Mâle   Femelle   Mâle   Femelle

Mandibules

Prémolaires

Chimpanzé   Homme

Chez le chimpanzé, par rapport à l'homme, l'arc dentaire est plus serré et les molaires moins aplaties, et le dimorphisme sexuel est plus marqué au niveau des canines.

Le crâne des Primates

Par rapport à celui des autres Primates, le crâne humain présente deux particularités. Son volume est relativement important et sa voûte est surélevée, ce qui entraîne un large front, lequel est presque inexistant chez les singes.

Chez l'homme, le bourrelet sus-orbital des anthropoïdes n'existe pas. Par rapport aux autres Hominidés, la face de l'homme est relativement réduite : cela entraîne la saillie du nez et du menton, et le raccourcissement des mâchoires.

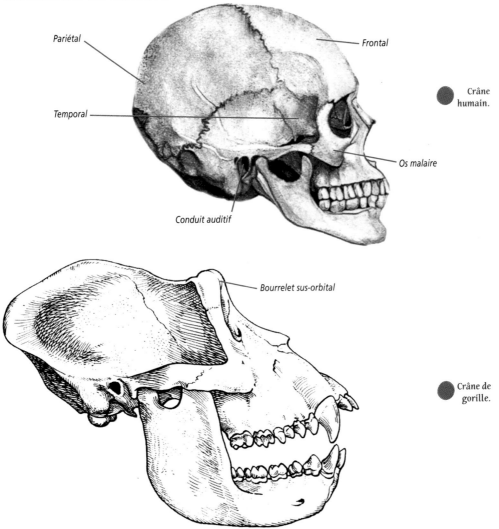

Pariétal

Frontal

Temporal

Os malaire

Conduit auditif

● Crâne humain.

Bourrelet sus-orbital

● Crâne de gorille.

Prosimiens

Le crâne des prosimiens est caractérisé par de grandes orbites (en raison d'une vie nocturne) et une face très courte.

Crâne de tarsier.

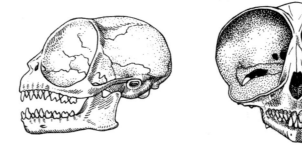

Simiens

Par rapport aux autres mammifères, le crâne des simiens est court et haut. Ceci est dû au développement des sens de la vision et de l'ouïe, au détriment de l'olfaction (réduction de l'emplacement des fosses nasales), et au développement du cerveau. Les yeux de petite taille indiquent une vie diurne.

Platyrhiniens (Amériques) à gauche et Catarhiniens (Afrique) à droite.

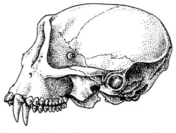
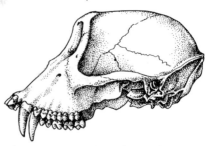

Les narines s'ouvrent vers les côtés : entre elles, la cloison est large.

Les narines rapprochées s'ouvrent vers le bas.

Chez l'homme, la voûte est élevée, la face réduite.

Chez les chimpanzé, la voûte est aplatie, la face prognathe importante.

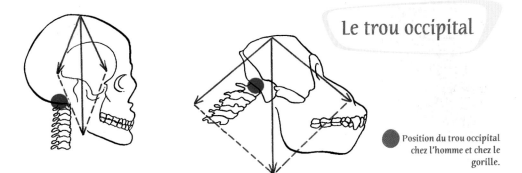

Le trou occipital

Position du trou occipital chez l'homme et chez le gorille.

Chez le chimpanzé et le gorille, le trou occipital est orienté vers l'arrière alors que, chez l'homme, il est presque à la verticale. Cela revêt une grande importance pour la position debout et la bipédie *(voir page 13)*.

Capacité crânienne

La capacité crânienne, dont le cerveau n'occupe que 70 % environ, est de 1 300 cm³ en moyenne pour l'espèce humaine. Elle est de 125 cm³ chez le gibbon, 350 cm³ chez l'orang-outan, 400 cm³ chez le chimpanzé et 500 cm³ chez le gorille.

On considère que, pour l'homme, la limite inférieure est de 900 cm³ pour un adulte.

Le cerveau

Le cerveau des Primates occupe environ 70 % de la capacité crânienne mais, ce qui est important, c'est le rapport entre la masse du cerveau et la masse corporelle. Ce rapport est chez l'homme de 1/45 ; il est de 1/90 chez le chimpanzé, de 1/180 chez l'orang-outan, de 1/230 chez le gorille.

Mais on n'a pas établi avec certitude un rapport entre la masse du cerveau et l'intelligence.

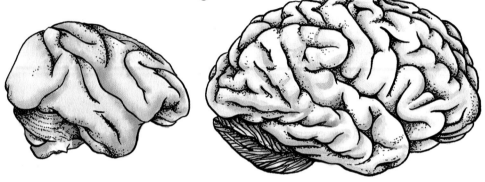

Cerveau du macaque.   Cerveau humain.

Par contre, un autre élément important est la surface du cortex, autrement dit la « matière grise ».

Les sillons déterminent des circonvolutions qui augmentent cette surface. Ainsi, dans le cerveau humain, le cortex développe 2 500 cm², ce qui représente quatre à cinq fois plus que chez les grands singes.

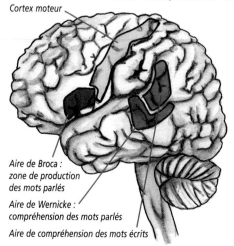

Cortex moteur

Aire de Broca :
zone de production
des mots parlés

Aire de Wernicke :
compréhension des mots parlés

Aire de compréhension des mots écrits

Le moulage de l'intérieur d'un crâne permet de reconstituer la surface du cortex. Ainsi on peut vérifier l'existence et l'importance des aires de Broca et de Wernicke que l'on associe au langage, la première pour la production de mots parlés, la seconde pour la compréhension de ces mots.

Cette présence est nécessaire pour assurer un langage, mais elle n'est pas suffisante pour justifier la possibilité d'articuler, celle-ci étant liée à la position du larynx.

Yves Coppens explique quelles informations il peut obtenir en étudiant les empreintes laissées dans un crâne fossile :

« Le cerveau est logé dans le crâne. Il disparaît (post mortem), il laisse donc un trou. Je vais étudier d'abord le volume du trou par rapport à la taille de l'animal ou de l'hominidé par rapport au poids du porteur, par rapport à la surface de la peau.

Si je fais le moulage du trou, en plastique ou en plâtre, je vais obtenir la répartition des lobes du cerveau. [...]

Une autre observation : l'irrigation des méninges a marqué son empreinte, sa trace sur la face interne du crâne.

Si bien que, par le degré d'irrigation et l'endroit où elle se fait, j'aurai une petite idée de l'activité du cerveau. Parce que, lorsque le cerveau fonctionne, il a besoin d'oxygène, il fait un appel de sang.

Le moulage lui-même de l'organe disparu, du trou qu'il a laissé donne quelques informations sur le degré de vivacité, d'activité de perception du monde, de réflexion, de conscience dans une certaine mesure. »

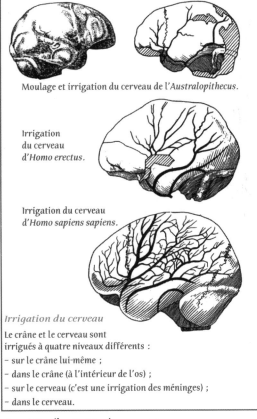

Moulage et irrigation du cerveau de l'*Australopithecus*.

Irrigation du cerveau d'*Homo erectus*.

Irrigation du cerveau d'*Homo sapiens sapiens*.

Irrigation du cerveau

Le crâne et le cerveau sont irrigués à quatre niveaux différents :
– sur le crâne lui-même ;
– dans le crâne (à l'intérieur de l'os) ;
– sur le cerveau (c'est une irrigation des méninges) ;
– dans le cerveau.

(Yves Coppens, *BT Sonore* n°23, PEMF, 1993.)

Préférence manuelle

Une autre particularité distingue l'homme du singe. Plus de 90 % des hommes sont droitiers, alors que chez les singes la préférence manuelle est à peu près également répartie entre les deux mains.

Chez l'homme, on constate une asymétrie entre les deux hémisphères du cerveau ; cette particularité n'existe pas chez le singe.

L'intelligence

Le chapitre précédent montre que l'on peut évaluer un niveau d'intelligence à partir de l'étude du crâne, à la fois par sa capacité et par les traces laissées sur sa surface. Cela est-il suffisant pour en déduire un niveau minimum au-dessous duquel l'individu n'est pas un homme ?

Trop longtemps, l'homme n'a étudié l'intelligence des animaux, en particulier des grands singes, qu'en fonction de ses propres critères.

À quoi sert l'intelligence ? À se poser des questions et y trouver des réponses.

Ces questions proviennent pour l'homme moyen de sa situation dans son milieu, des besoins qu'il éprouve et du sentiment de son avenir.

Quels besoins éprouve l'animal ?

On a longtemps dit qu'il était simplement soumis aux nécessités de la nature et de sa biologie ; qu'il n'agissait pas par intelligence mais par instinct. On n'en est plus aussi sûr aujourd'hui. Les observations très poussées sur la vie des grands singes en société laissent planer des interrogations.

Ce qui fait dire à Dominique Lestel, maître de conférences à l'École normale supérieure :

*« Il est donc légitime de se demander si l'homme est suffisamment intelligent pour comprendre l'intelligence des animaux et, a fortiori, des grands singes. »**

Aux origines de l'humanité, Y. Coppens et P. Pick, Éd. Fayard.

Expérimentation animale : expérience sur la perception visuelle des singes.

Les études évoquées ci-dessus ont montré que des singes étaient capables d'utiliser, et même de concevoir un langage avec des phrases structurées.

Le langage

Kanzi, chimpanzé nain ou bonobo, fait preuve de capacités exceptionnelles. À deux ans, il est capable de maîtriser des symboles et de les utiliser spontanément pour les combiner en ce que l'on peut appeler des phrases. Ce langage est à base d'images ou de pictogrammes et n'utilise pas la parole telle que nous la concevons, le larynx du singe n'offrant pas la possibilité d'un langage articulé.

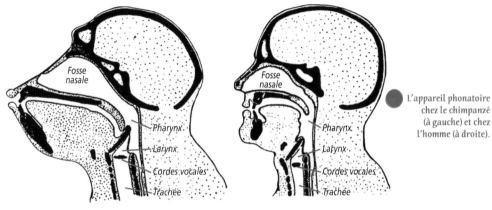

Fosse nasale · Pharynx · Larynx · Cordes vocales · Trachée

Larynx en position haute

Larynx en position basse

L'appareil phonatoire chez le chimpanzé (à gauche) et chez l'homme (à droite).

Est-ce suffisant pour y voir la différence primordiale ? Un homme sourd-muet ne s'exprime pas par un langage articulé ; ce n'en est pas moins un homme.

Ce qui peut intéresser un paléoanthropologue, ce sont les traces de cette intelligence.

Les traces

Quelle influence le fossile étudié a-t-il pu exercer sur son environnement, quelles préoccupations, quels sentiments sont traduits par ces traces ?

On les trouvera d'abord dans l'habitat : traces de constructions, traces de foyers qui montrent que l'homme a conscience d'un avenir qu'il faut préparer.

Que signifie pour l'animal la construction d'un nid, le creusement d'un terrier, le départ en migration ? Cela est-il le signe qu'il perçoit la notion d'avenir, ce que certains scientifiques lui refusent. Il n'agirait que dans l'instant ou dans le futur immédiat. Est-ce instinct ou intelligence ?

L'accumulation des restes peut prouver une vie en société avec certains rites, tels les rites funéraires, qui semblent actuellement être réservés à l'homme.

Puis il y a l'outil, son utilisation et sa conception, dont nous parlerons plus loin.

Enfin, il y a l'art et les représentations que l'homme se fait de lui-même et de ce qui l'entoure.

La mémoire

Jean-Didier Vincent voit dans l'homme un *« être de mémoire »**** dont les capacités mnésiques sont bien supérieures à celles de l'animal.

*« Ce que l'animal sait du monde est inscrit dans son cerveau sous forme de représentations. L'homme ne se distingue de l'animal que par la richesse extraordinaire et l'abondance de ces dernières. »****

* Qu'est-ce que l'homme ?,
L. Ferry,
J.-D. Vincent,
Éd. Odile Jacob.

C'est l'aptitude à accumuler les savoirs qui lui permettrait de développer continuellement son cerveau et d'être capable de *pensée réfléchie.*

Chez l'animal, la mémoire serait plus limitée, comprenant un certain nombre de signaux qui lui viennent de son environnement, mémoire acquise très tôt mais sans développement important dans la suite de son existence. Il en résulterait une incapacité à modifier de façon significative son environnement et sa façon d'y vivre et d'envisager un avenir. L'animal continue, apparemment, à vivre comme ses ancêtres. Mais cet immobilisme peut provenir d'un environnement qui ne change pas. On peut citer le cas où la disparition des prédateurs a entraîné une prolifération d'une population d'herbivores. Leurs ressources alimentaires se sont épuisées et la population a disparu.

En ce qui concerne l'homme, nous pouvons toutefois nous demander si le fait de se créer des besoins de plus en plus complexes, au point de transformer totalement son mode de vie et son environnement - jusqu'au point de le détruire - est une marque d'intelligence ?

Quoi qu'il en soit, cette propension à ce qu'on peut appeler le progrès semble être le propre de l'homme et le niveau atteint permet de le situer dans une chronologie et dans une hiérarchie dont le sommet est *Homo sapiens sapiens,* l'homme moderne.

La culture

Pour le Larousse, la culture est l'*« ensemble des structures sociales et des manifestations artistiques, religieuses, intellectuelles qui définissent un groupe, une société par rapport à l'autre. »*

Qu'est-ce que la culture ?

Pour ce qui nous concerne dans cet ouvrage, c'est principalement un ensemble de comportements liés à la vie en société, à la place de chacun dans le groupe et aux règles de vie qui en découlent et qui constituent la tradition.

Ces modes de vie étant différents à l'intérieur d'une même espèce, il est nécessaire de parler de *cultures* au pluriel. Dès lors, la culture peut être définie comme l'intersection entre les cultures, comme l'ensemble des éléments qui leur sont communs.

Sur la Terre, de nombreuses cultures se sont développées, même si l'on constate de nos jours, en raison de la sophistication des moyens d'information, une tendance à l'uniformisation.

L'homme serait-il le seul primate culturel, le seul à avoir déterminé au cours de son évolution des comportements individuels et collectifs en faisant une espèce à part ?

L'homme, un primate culturel ?

La vie en société n'est pas le propre de l'homme. Les insectes sociaux, fourmis ou abeilles, ont une organisation très structurée, avec des fonctions et des rôles bien précis, prédéterminés bien souvent à la naissance.

Peu de mammifères vivent en solitaires et la vie de leur groupe est réglementée avec dominants et dominés, rôles différents des mâles et des femelles. Certains groupes de femelles s'organisent pour la surveillance et l'apprentissage des petits. Plusieurs mammifères ont des techniques de chasse en groupes.

Les études menées sur les groupes de grands singes ont révélé des comportements beaucoup plus proches de ceux des hommes qu'on ne l'imaginait. Mais il semble que cette organisation de la vie des animaux est immuable depuis des milliers d'années si l'environnement ne change pas. Les modifications de leur comportement ne semblent pas être de leur fait, mais seraient la conséquence des bouleversements que les hommes ont fait subir à leur habitat naturel. Il leur a fallu s'adapter ou disparaître.

Cette affirmation doit toutefois être tempérée par le fait que les études menées sont relativement récentes et que l'on ignore si les comportements se sont modifiés, naturellement, au cours des millénaires.

L'organisation sociale

Les groupes de Primates varient de un (solitaire) à cent individus. Chez les chimpanzés, les membres se regroupent et se séparent de façon très variable. Certains groupes comprennent un seul mâle actif et plusieurs femelles reproductrices ; d'autres, comme les chimpanzés et les bonobos, ont plusieurs mâles actifs. On y rencontre monogamie et polygamie.

Les rapports entre les membres sont très variés : les relations y sont égalitaires ou hiérarchiques.

Groupe de bonobo.

Il arrive que la défense du territoire entraîne des conflits violents entre deux communautés, luttes dans lesquelles les chimpanzés font preuve d'une stratégie réfléchie.

Bien que la chasse soit réduite chez les Primates, elle constitue un élément de collaboration entre les membres du groupe avec rabatteurs et encercleurs.

Dans les populations primitives, la recherche de nourriture est structurée : les hommes chassent la viande et les femmes cueillent fruits et plantes. Le partage de la nourriture est soumis à des règles. On retrouve en partie cette organisation chez les chimpanzés, dans le partage de la viande et des noix dont le cassage est une technique que les mères apprennent à leurs jeunes. Pour la viande, sont avantagés ceux qui ont pris la plus grande part à la chasse.

On peut donc considérer que les chimpanzés ont, au même titre que l'homme, un comportement culturel.

L'habitat

Le fait de construire ou d'aménager son lieu de résidence n'est pas propre à l'homme. L'animal construit son nid ou creuse son terrier de la même façon depuis toujours.

Chez l'homme, au contraire, on constate une évolution continue de l'habitat et des règles de vie en société, une recherche constante de matériaux et de techniques pour améliorer sa résidence.

Les traces de cette évolution sont très utiles aux paléoanthropologues pour différencier les espèces fossiles.

La conscience de la mort

La découverte de restes apparemment humains est accompagnée de l'examen de son environnement immédiat, afin de savoir si des objets déposés traduisent des coutumes funéraires ou religieuses.

Dans le monde animal, c'est souvent le charognard ou l'insecte nécrophage qui jouent le rôle de fossoyeur. On a pu dire que le fait d'enterrer ses morts était une marque d'hominisation.

Cela ne signifie pas que l'animal n'a pas conscience de la mort. L'observation des groupes de singes a montré une attitude particulière devant la mort d'un congénère ou d'un enfant. Le fait de ne pas donner de sépulture ne signifie pas qu'il y ait indifférence.

L'art

Les hommes sont-ils les seuls Primates capables d'exprimer leur conception de la vie et de leur environnement par des représentations dont la trace apparaît sur la pierre, sur le papier ou sur la toile ?

Le XXe siècle a vu l'apparition d'expositions de peintures réalisées par des singes. Ce sont des marques apposées sur des feuilles de papier avec des crayons ou des pinceaux. Ces représentations ont-elles un sens ? Il est difficile de savoir si elles sont la manifestation d'un art abstrait ou simple imitation de l'homme, car le comportement des chimpanzés en train de « dessiner » permet de se demander s'ils ont ou non conscience de ce qu'ils représentent.

Nonja, femelle orang-outan, peignant. Zoo de Schönbrunn, Vienne (Autriche).

L'outil

L'outil est considéré comme un élément important dans la détermination du niveau d'intelligence d'un individu.

On a longtemps cru que cet usage était réservé à l'homme jusqu'à ce que des observations continues aient été faites sur des populations de grands singes dans leur milieu naturel. Ces observations montrent qu'il y a plusieurs niveaux concernant l'usage de l'outil.

Le premier niveau est l'utilisation occasionnelle d'un objet se trouvant à portée de main pour effectuer un travail que les moyens personnels de l'individu ne lui permettent pas de réaliser.

Un deuxième niveau est de prévoir que l'on aura besoin de ce complément pour un travail que l'on se propose d'exécuter.

Le troisième niveau est de modifier un objet naturel pour lui donner la forme ou la longueur convenant à l'action envisagée. Cela peut aller jusqu'à la combinaison de plusieurs objets pour une meilleure efficacité.

Le quatrième niveau, le plus élaboré, est la conception d'outils n'ayant pas leur équivalent dans la nature pour des opérations plus ou moins complexes. Cela s'accompagne de la création de matériaux nouveaux.

Il est bien évident que ce quatrième niveau n'est atteint actuellement que par l'homme. Mais il faut ajouter que c'est parce que l'homme s'est créé de nouveaux besoins qu'il a dû inventer de nouveaux moyens.

L'animal, qui se contente des besoins qu'ont connus ses ancêtres, n'éprouve pas la nécessité de créer de nouveaux outils. On a pu constater toutefois que des animaux mis par l'homme dans des conditions de vie anormales étaient capables d'élaborer des solutions nouvelles.

L'utilisation de l'outil

« L'usage de l'outil suppose des capacités cognitives telles la faculté d'anticiper le but à atteindre, le plus souvent non visible ou éloigné du lieu où l'instrument est préparé. Pour casser des noix, le chimpanzé sélectionne des pierres dures qu'il utilisera plus tard et ailleurs sur des sites de cassage où des souches font office d'enclumes. » [*]

[*] Jean-Didier Vincent, *Qu'est-ce que l'homme ?*, Éd. Odile Jacob.

L'observation de chimpanzés modernes en milieu naturel a permis de constater qu'ils utilisent des objets simples pour atteindre de la nourriture difficilement accessible, creuser le sol, grimper aux arbres, escalader des rochers, forcer avec un levier, couper, broyer...

Cette utilisation n'est pas innée et ne relève pas d'un instinct puisque quelques années d'apprentissage sont nécessaires au jeune chimpanzé pour être capable d'extraire des termites de leur nid ou de casser des noix à coquille dure.

Pour les singes capucins, on a pu constater que l'utilisation des outils est basée sur un certain degré de curiosité accompagné d'une cer-

Utilisation par des chimpanzés de morceaux de bois pour creuser, afin de dénicher fourmis ou autre pitance...

taine habileté à les manipuler. Mais il n'y a pas réflexion dans la mesure où la recherche d'efficacité se fait uniquement par essais et erreurs. La façon de faire montre qu'il n'y a pas réflexion préalable sur la possibilité de réussite.

Par contre, il y a réflexion préalable lorsque l'une des chimpanzés femelles étudiées par Jane Goodall part à la recherche de noix en emportant avec elle une pierre de 5 kg dont il est évident qu'elle connaît d'avance l'usage qu'elle en fera. On constate aussi que ces outils sont conservés en prévision d'un usage ultérieur.

L'amélioration de l'outil

On a pu constater que les baguettes utilisées par les chimpanzés pour différentes actions sont modifiées en conséquence. Elles n'ont pas la même forme ou la même longueur selon qu'il s'agit de pêcher les fourmis dans leur nid, d'extraire les miettes d'amandes des coques de noix ouvertes avec une pierre-marteau, de tirer le miel des ruches ou d'ôter la moelle des os. Leurs pointes sont plus ou moins affinées, leurs longueurs adaptées.

Ces modifications sont dans plus de 90 % des cas opérées avant utilisation. Il y a donc représentation mentale de la forme adaptée à la fonction.

Les trois premiers niveaux évoqués précédemment sont donc à la portée des chimpanzés. Seul le quatrième semble être le propre de l'homme sans qu'il soit prouvé pour autant qu'en cas de modification importante des conditions de vie, sans destruction d'une population, les chimpanzés n'en soient pas capables.

Le feu

Il semble que, parmi les Primates, l'homme seul se soit montré capable de maîtriser le feu.

Il s'en est d'abord servi pour se protéger des animaux prédateurs, utilisant la terreur qu'il suscitait chez eux.

On a pu constater que des gorilles pouvaient, par imitation, produire du feu avec des allumettes, mais pas intégrer cette possibilité dans leur mode de vie.

L'utilisation du feu pour cuire des aliments ne fait pas partie des acquisitions comportementales des grands singes.

La maîtrise du feu, même s'il ne le domine pas encore complètement, ferait donc partie des éléments qui distinguent l'homme de l'animal.

Une technique d'allumage du feu consiste, après avoir réuni les éléments qui permettront au feu de « prendre », à rouler entre ses mains une petite tige de bois posée sur un morceau de bois plat dans lequel une petite cuvette a été creusée.

C'est pourquoi la découverte de traces de foyers constitue un critère important pour la détermination d'une espèce fossile.

« Depuis 1,9 Ma [millions d'années], l'homme regarde danser la flamme. À côté de l'outil fabriqué, le feu apprivoisé et créé à la demande est probablement le plus beau produit de l'intelligence créatrice d'Homo erectus : feu dérobé à l'incendie de la forêt et entretenu par le groupe avant d'être produit à volonté ; feu défensif contre les prédateurs ; feu qui éclaire la nuit et la caverne ; feu qui apporte la chaleur ; feu, enfin, qui assure la cohésion sociale autour du foyer où cuisent les aliments. »*

* *Jean-Didier Vincent, Qu'est-ce que l'homme ?, Éd. Odile Jacob.*

Foyer aménagé,
– 400 000.
[Musée de Terra Amata, Nice]

L'art au service du mythe

C'est grâce au développement de son cerveau, donc de son intelligence, qu'*Homo sapiens* a pu devenir artiste*. L'art préhistorique surprend par son unité créatrice. Mais son émergence coïncide avec la conquête du monde, et la dispersion de l'art dans des zones géographiques éloignées et isolées les unes des autres explique sa diversité.

* Ce sont les hommes actuels qui donnent le nom d'art à cette activité. L'homme préhistorique en avait-il conscience ?

Frise des poneys, grotte de Lascaux, Dordogne.

« *C'est dans les profondeurs de la terre, dans les grottes et les cavernes que les hommes du Paléolithique supérieur ont laissé les traces les plus prodigieuses de la dimension culturelle à laquelle ils étaient parvenus.*

On parle d'art pariétal pour qualifier les gravures et les grandes peintures rupestres. Toutefois, les signes et les figurines tracés sur les parois rocheuses à la lumière rougeoyante des lampes à graisse et des torches n'étaient manifestement pas destinés à être livrés à l'admiration de tout un chacun. L'art est présent, bien sûr, et il s'exprime au plus haut niveau, mais il est mis au service du mythe.

C'est toute leur connaissance du monde que les hommes qui ont conçu ces fresques s'efforcent d'inscrire dans le rocher, leur connaissance mais aussi leurs doutes, leurs craintes, leurs interrogations.

Avec qui cherchaient-ils à communiquer, quelle harmonie voulaient-ils établir - ou rétablir - en allant ainsi à la rencontre du surnaturel, et dans quel but ? Il est peu probable que nous le sachions jamais, mais le fait que nous puissions malgré tout dialoguer à travers les millénaires et nous reconnaître en eux en contemplant leurs œuvres est en lui-même extraordinaire. »
(Claude-Louis Gallien, *Homo, histoire plurielle d'un genre très singulier*, PUF.)

Les moyens

Dessiner, graver, peindre, modeler, sculpter sont des actes différents mais complémentaires. Ils supposent la maîtrise de matériaux, d'outils et la mise en œuvre de multiples savoir-faire.

* Voir p.33.

L'art* est né dans un contexte naturel et technologique qui a contribué à lui donner son unité. Il est avant tout un art de la nature : l'artiste* bénéficie d'une connaissance ancestrale de l'environnement animal et végétal. Il a, au cours des millénaires, perfectionné la taille de la pierre, de l'os, de l'ivoire, du bois. Sa capacité d'apprendre, de reproduire et d'inventer lui a permis de dominer les éléments de formulation plastique que sont le trait, la forme, la couleur et la composition. Mais l'acte créateur n'est pas seulement technique.

« L'invention de formes, la création d'œuvres durables ont constitué un événement majeur dans l'évolution humaine. Elles ont inauguré une relation nouvelle entre les hommes et entre leurs cultures, et libéré le sens symbolique des objets et des êtres. En dessinant un bison ou un sorcier, le chasseur s'est fait démiurge. Il a innové un système de représentation par l'image et créé un univers du sens. »

(Denis Vialou, sous-directeur du Muséum national d'Histoire naturelle, Paris.)

Parmi les hypothèses récentes concernant l'art* préhistorique, on trouve des explications de type chamanique. Quand l'homme a-t-il découvert le pouvoir des substances psychotoniques et hallucinogènes ? Ce recours à la « pharmacopée » naturelle est sans doute un phénomène très ancien ; il s'accompagne d'une hiérarchisation dans laquelle le chamane-sorcier-« médecin » tient une place plus particulière.

Vénus à la corne,
grotte de Laussel.
Marquay,
Dordogne.

Les gènes

La génétique est la dernière avancée de la science permettant aux paléoanthropologues d'affiner leur classification des espèces.

La découverte de l'ADN a permis de préciser les différences et les affinités entre les Primates, ainsi qu'entre les restes fossiles.

On a vu que le génome des singes, et surtout des bonobos, est très voisin de celui de l'homme, même si la surface du cortex semble plus déterminante dans l'évaluation de l'intelligence.

Et, comme le fait remarquer Jean-Didier Vincent : « *Une différence de 1 % dans l'ADN total ne signifie pas que 1 % seulement des gènes de l'homme et du chimpanzé sont différents, mais ne veut pas dire non plus que tous les gènes de l'un et de l'autre diffèrent de 1 %. En bref, une mutation sur un seul gène pourra avoir des conséquences considérables alors que d'autres mutations sur des gènes, ou surtout sur l'ADN non codant, laisseront l'organisme indifférent.* »

La différence entre l'homme et le chimpanzé est plus marquée au niveau du caryotype qui concerne le nombre et l'aspect physique des chromosomes. L'homme en compte 46, le chimpanzé 48 et certaines espèces de singes jusqu'à 70.

Si l'on peut utiliser la génétique pour différencier les individus, elle ne peut tout nous apprendre sur l'évolution de leurs lignées, puisqu'une évolution peut se faire sans mutation de gènes.

Il n'en est pas moins vrai que l'anthropologie moléculaire utilisant les méthodes de la biologie moléculaire est capable de mesurer les apparentements entre deux espèces et d'établir entre elles une chronologie relative. En examinant les bases qui constituent les molécules d'ADN, on peut constater leurs modifications et en déduire la période de temps qui s'est écoulée depuis qu'elles ont divergé à partir d'un ancêtre commun.

C'est ainsi qu'on a pu montrer que l'homme, le chimpanzé et le gorille forment un groupe d'espèces très voisines, alors que l'orang-outan est sensiblement différent et que le gibbon et les autres hominoïdes en sont encore plus éloignés. Ceci a permis d'affiner une classification des Primates.

Une classification des hominoïdes vivants

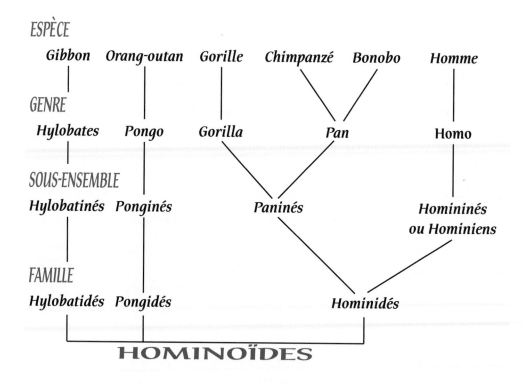

ESPÈCE
Gibbon   Orang-outan   Gorille   Chimpanzé   Bonobo   Homme

GENRE
Hylobates   Pongo   Gorilla   Pan   Homo

SOUS-ENSEMBLE
Hylobatinés   Ponginés   Paninés   Homininés ou Hominiens

FAMILLE
Hylobatidés   Pongidés   Hominidés

HOMINOÏDES

Les classifications sont différentes selon les auteurs.
Nous adopterons, sous toutes réserves, celle qui est présentée ci-dessus.

Conclusion

Les philosophes et les scientifiques n'ont pas la même conception de l'homme parce qu'ils ne donnent pas le même sens à certains mots, comme le mot « culture » par exemple.

Pour Luc Ferry, tout ce qui n'est pas inné est-il forcément culturel ?

Il pense que ce n'est pas parce que des animaux apprennent des techniques de vie à leurs petits qu'ils ont pour autant une culture.

Les animaux seraient liés à la nature alors que l'homme s'en écarterait en créant sa propre éducation, sa propre culture et sa politique. Le « biologisme » qui rapproche certaines espèces animales de l'homme masquerait sa véritable identité.

Cette identité serait principalement dans sa liberté obtenue par son intelligence en se libérant en partie des contraintes de la nature.

Remarquons que cette polémique n'est pas très utile au paléoanthropologue qui, sur le terrain, est confronté aux restes fossiles d'individus ayant vécu sur Terre il y a des milliers, voire des millions, d'années.

Pour lui, la différence est anatomique et biologique. La culture n'intervient que pour des espèces relativement récentes qui ont laissé des traces de leur vie en société.

Pour Claude-Louis Gallien, l'homme est un singe pas comme les autres, debout, à grosse tête, bavard et nu.

Définition lapidaire qui ne sera pas suffisante devant les restes d'un squelette ou d'une simple mâchoire.

Nous verrons comment, au cours d'une longue recherche marquée par des découvertes retentissantes, des échecs décourageants, des interprétations démenties par de nouvelles découvertes, des supercheries, les scientifiques en sont arrivés, avec beaucoup d'humilité, à situer l'homme dans la longue et souvent interrompue lignée qui, de *Purgatorius* à *Homo sapiens,* trace l'évolution de nos lointains et proches ancêtres.

La recherche du premier homme est-elle illusoire ? Nos techniques nous permettront-elles de le reconnaître à coup sûr ? Ce sont les questions que beaucoup de scientifiques se posent aujourd'hui.

LA PALÉOANTHROPOLOGIE

La paléoanthropologie est une science qui conjugue la paléontologie, science des êtres vivants fossiles, avec l'anthropologie, science de l'homme et des groupes humains.

Encore appelée paléontologie humaine, elle a pour but de rechercher les origines de l'homme, l'histoire de sa lignée, son insertion dans le monde animal, en quoi il est différent des autres animaux.

Elle se propose de découvrir pourquoi et comment l'homme est apparu sur la Terre et quel est le processus de l'hominisation, c'est-à-dire les conditions de la genèse de la première espèce humaine. Elle a également pour objet de retrouver les traces et d'identifier les différentes espèces qui ont abouti à l'homme d'aujourd'hui.

Un travail d'équipe

Il est loin le temps du paléontologue explorateur qui partait seul, ou avec une équipe réduite, à la recherche des fossiles. Aujourd'hui, une expédition paléoanthropologique comprend toute une équipe de scientifiques spécialisés.

La plupart du temps, ce sont les archéologues qui découvrent les sites laissant supposer que des êtres vivants proches de l'homme y ont vécu.

Les géologues étudient les terrains et déterminent l'âge des différentes couches ; les paléontologues classiques effectuent les fouilles qui demandent une pratique minutieuse ; les biologistes et les généticiens tâchent d'utiliser l'ADN pour préciser les caractéristiques de l'espèce ; les anthropologues essaient de reconstituer la vie en société.

Quand le terrain a livré tous ses secrets, les fossiles éventuellement découverts sont étudiés en laboratoire pour être datés et confrontés aux archives. Un rapport précis doit être effectué, déposé auprès d'un organisme scientifique et publié dans une revue.

Découverte de l'*Homo georgicus* sur le site de Dmanissi (Géorgie), par David Lordkipanidze, paléoanthropologue et directeur du département de géologie et paléontologie du musée national de Géorgie à Tbilissi. Juillet 2002.

La datation

Pour un paléontologue qui sait ce qu'il cherche, la bonne question est de savoir où chercher. Pour cela, il doit connaître l'âge approximatif des fossiles recherchés et l'âge des terrains dans lesquels il a des chances de les trouver.

Au début du XIX siècle, les scientifiques les plus hardis faisaient remonter l'apparition de l'homme à 500 000, voire 1 million d'années. Mais, à cette époque, la datation des couches de terrain était approximative. On savait, comme une évidence, que les couches les plus anciennes se trouvaient en dessous des couches les plus récentes.

L'important est de savoir à quelle époque se sont formées ces couches. C'est la stratigraphie qui se charge de cette étude. Elle utilise d'abord des méthodes empiriques, comme l'examen des dépôts laissés par la fonte des glaciers, et procède par comparaison avec les sites ayant donné des résultats.

La datation relative

Les paléontologues savent par expérience que les terrains les plus anciens ne fournissent aucun fossile d'hominoïde. Cela est insuffisant pour affirmer que la vie n'a pas toujours existé sur Terre, mais les scientifiques pensent néanmoins que l'homme est plus récent que l'âge de ces terrains.

Ce sont les premières traces d'objets utilisés par l'homme qui permettront d'établir une chronologie sans que soient précisées les dates.

La datation absolue

Ce sont les progrès de la physique qui ont permis de mettre au point des méthodes de datation absolue.

C'est tout d'abord la découverte des rayons X par le physicien allemand Röntgen en 1895 qui a engendré l'étude de la radioactivité. Des éléments instables se désintègrent selon une période de temps que l'on peut mesurer.

Cette méthode a permis à Boltwood en 1907 d'évaluer l'âge de la Terre à 1,5 milliard d'années. Âge que les travaux de Patterson ont porté à 4,5 milliards en 1955.

La datation par le carbone 14 a été mise au point en 1953 par le chimiste américain W. Libby. Elle s'applique à tous les fossiles contenant du carbone. Le carbone 14 se désintègre et son taux dans la matière organique est divisé par 2 par période de 5 730 ans.

Cette technique est toutefois limitée à 50 000 ans. Une autre technique plus compliquée permet d'évaluer jusqu'à environ 100 000 ans.

Depuis 1961, on utilise une autre méthode de datation par le potassium-argon : le potassium se désintègre en argon selon une période de 1,3 milliard d'années, ce qui permet d'évaluer l'âge des roches éruptives qui en contiennent. Cette méthode ne donne des informations qu'à partir de 1 million d'années.

D'autres méthodes permettent de combler le trou de 900 000 ans qui existe entre les possibilités du carbone 14 (environ 100 000 ans) et celles du potassium-argon (plus de 1 million d'années).

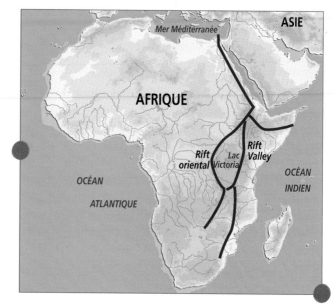

La vallée du Rift s'effondre, il y a 7 millions d'années. Elle forme alors une immense faille de 6 000 km de long et jusqu'à 4 000 m de profondeur.
Les ancêtres de l'homme sont partagés en deux populations : ceux qui sont à l'ouest vivent dans les arbres, ceux de l'est demeurent dans la savane puis la steppe (voir page suivante).

Le berceau africain

Si les premières découvertes ont été l'effet du hasard, les expéditions scientifiques doivent aujourd'hui rentabiliser le coût important de leurs recherches. Il s'agit non seulement de repérer les couches de terrain correspondant à l'âge supposé du premier homme, mais aussi celles dont la texture permet une bonne conservation des fossiles qui s'y trouvent.

Dès 1939, des fossiles d'Hominidés avaient été exhumés en Tanzanie ; mais ils n'avaient suscité qu'un intérêt limité.

Ce sont les découvertes des paléontologues britanniques Louis et Mary Leakey en 1959, dans les gorges d'Olduvai en Tanzanie, qui vont renforcer l'idée de l'origine africaine de l'homme et déclencher ce que l'on a appelé « la ruée vers l'os ».

Le fait que le Rift et la vallée de l'Omo soient considérés comme le berceau du premier homme a une explication géologique et climatique.

Le Rift est une zone d'effondrement entre deux fractures parallèles dues aux tensions entre des plaques tectoniques. Le sol rocheux s'est effondré très fortement sur une largeur de 50 km, créant une dépression avec des lacs et des zones marécageuses bordée par une barrière de volcans.

Cette barrière arrête les vents d'ouest qui apportaient l'humidité : la sécheresse entraîne le recul de la forêt. Deux zones distinctes se forment alors : à l'ouest des forêts, à l'est la savane.

Cette diversification de la végétation a pour conséquence une diversification de la faune en fonction de sa capacité d'adaptation.

À l'ouest s'installent les préchimpanzés ; à l'est les préhominiens, ancêtres directs de l'homme.

C'est dans cette région qu'ont été organisées dans les quarante dernières années du XXᵉ siècle les plus importantes expéditions scientifiques et qu'ont été faites les principales découvertes.

La vallée de l'Omo en Éthiopie.

Le chaînon manquant

Même si aujourd'hui on se pose des questions sur sa réalité, la recherche du « chaînon manquant » a longtemps été l'objectif des paléontologues.

Ce chaînon manquant, imaginé par les transformistes comme un intermédiaire entre les grands singes et l'homme, serait le point de départ de la lignée humaine.

Pour cela, il devrait avoir à la fois des caractères simiesques et un caractère spécifique de l'espèce humaine. Encore faut-il se mettre d'accord sur ce caractère : est-ce la station debout et la bipédie ou le gros cerveau qui est apparu en premier ?

Pour certains, c'est un homme-singe ou anthropopithèque (de *anthrôpos,* « homme » et *pithékos,* « singe ») marchant en position redressée bien que voûtée, ayant des facultés intellectuelles supérieures à celles des grands singes et possédant un langage articulé primitif.

Pour d'autres, c'est un singe-homme ou pithécanthrope ayant un crâne intermédiaire entre celui d'un singe et celui d'un homme, des jambes adaptées à la marche mais pas de langage articulé.

Entre la découverte, par le savant néerlandais Eugène Dubois, du pithécanthrope en 1891, en passant par l'australopithèque (le singe du Sud) de l'Australien Raymond Dart en 1924, jusqu'aux découvertes de la fin du XXe siècle, beaucoup ont cru l'avoir trouvé.

Aujourd'hui, de nombreuses questions se posent sur l'importance des découvertes. Le nombre de fossiles retrouvés comparé aux milliards d'êtres vivants qui ont peuplé la Terre semble insuffisant pour en tirer des conclusions ayant un caractère scientifique.

Des espèces ont pu échapper au phénomène de fossilisation et, dans ce cas, on n'en retrouvera jamais la trace. Toute conclusion sur une future découverte n'aurait donc pas de caractère définitif.

Enfin, aujourd'hui, la génétique montre qu'une mutation accidentelle peut se produire à tout moment sans être le résultat d'une évolution régulière, ce qui remet en cause la notion de chaîne.

Plusieurs de ces remarques montrent que l'on ne peut admettre comme certain que le premier homme soit né en Afrique. Des sites en voie d'exploration comme ceux de la Chine pourraient réserver des surprises. Il est permis aujourd'hui de penser que l'hominisation ne s'est pas faite dans un seul lieu.

L'hominisation

On a vu dans la première partie quels étaient les caractères spécifiques attribués à l'espèce humaine et ce qui la différenciait des espèces voisines des grands singes.

On a appelé *hominisation* les modifications anatomiques qui ont transformé le singe en homme.

Aujourd'hui, ce terme désigne les conditions de la genèse de l'espèce humaine, sa place dans la nature et son rôle dans l'histoire de la vie.

En elle-même, la notion d'hominisation place l'homme au sommet d'une échelle de valeur construite par lui. Pourtant, dans toutes les parties de son organisation, l'homme ressemble aux grands singes. C'est donc son originalité biologique et son comportement social qui en feraient une espèce à part.

Un des premiers éléments de différence est l'allongement de la période de développement du fœtus et de celle de l'enfance ; l'arrivée à l'âge adulte n'empêche pas son cerveau de continuer à se développer ; l'homme apprend et découvre perpétuellement.

Un second élément consiste dans sa volonté d'expansion et de conquête de toutes les parties de la Terre. Il maîtrise la nature, les plantes et les animaux, et devient l'espèce dominante, ce qui peut se révéler néfaste pour l'environnement.

Son originalité réside également dans la création et l'utilisation de l'outil qu'il utilise pour renforcer sa puissance et son pouvoir sur le monde. Cela résulte de l'existence chez lui d'une pensée réfléchie qui lui permet de discerner ce dont il a besoin et de trouver les solutions.

Un dernier élément est sa faculté de s'unir et de former des groupes capables de créer ensemble les conditions d'une vie meilleure. Cette socialisation existe chez certaines espèces animales, mais elle n'a pas progressé depuis des millénaires. Pour l'homme, c'est une source de progrès.

Les paléoanthropologues ont donc pour mission non seulement de rechercher des éléments fossiles répondant aux critères physiologiques établis comme étant ceux de l'espèce humaine, mais aussi de déceler les traces de l'évolution sociale de cette espèce : utilisation et création d'outils, amélioration de l'habitat, vie en société.

LES ANCÊTRES DE L'HOMME

LES ANCÊTRES DE L'HOMME

Pour un être humain, la notion d'ancêtre est relativement claire puisqu'il descend en ligne directe de deux individus qui, eux-mêmes, ont une ascendance bien déterminée. Encore faut-il se mettre d'accord sur le point de départ : la définition de l'ancêtre. Il suffit de constituer un arbre généalogique pour déterminer les ancêtres communs à deux ou plusieurs lignées.

Quand il s'agit d'espèces, la chose se complique. Tant qu'on admettait que l'évolution était linéaire, les espèces se succédant, l'une prenant la place de l'autre, il était possible d'établir un arbre généalogique virtuel ; des blancs y comblaient l'espace réservé pour les chaînons manquants, supposés avoir existé, même si l'on n'en avait pas encore retrouvé la trace.

Avec l'évolution en mosaïque (ou en buisson), une espèce peut se développer par mutation parallèlement à une autre. La place de l'ancêtre commun est alors difficile à déterminer.

C'est pourquoi il est plus facile de raisonner par genre. On placera un ancêtre commun aux genres *Homo* et australopithèque, un ancêtre commun aux Hominidés, un ancêtre commun aux Primates.

On peut ainsi établir une arborescence simple où les ancêtres communs se trouvent aux intersections.

Théories et certitudes

Il en est de la paléoanthropologie comme de toutes les sciences : il faut distinguer les faits d'une part et les théories d'autre part. La découverte d'un fossile est un fait : on peut le dater, le décrire, le comparer à d'autres. Sa détermination est déjà du domaine de la théorie, puisque ce n'est qu'une reconnaissance admise par le plus grand nombre des scientifiques du moment.

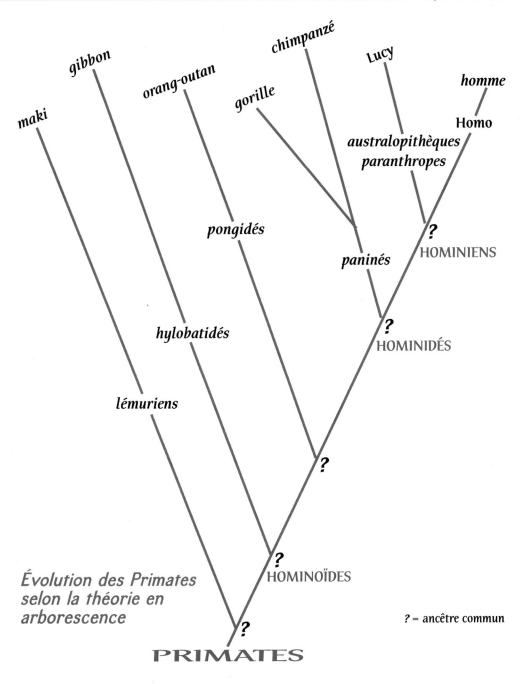

maki
gibbon
orang-outan
gorille
chimpanzé
Lucy
homme

Homo

australopithèques
paranthropes

? HOMINIENS

pongidés

paninés

? HOMINIDÉS

hylobatidés

lémuriens

?

? HOMINOÏDES

Évolution des Primates selon la théorie en arborescence

?

PRIMATES

? = ancêtre commun

Ainsi, de nombreux fossiles ont été mis au jour : certains bénéficient du label *Homo,* d'autres sont admis comme proches, australopithèques ou paranthropes, d'autres enfin sont des singes.

Création et évolution

En ce qui concerne l'homme, la théorie première, longtemps considérée comme indiscutable, repose sur la Bible : l'homme a été créé par Dieu à partir de la poussière.

Il en est de même pour les êtres vivants qui l'ont précédé. Aucun lien n'est établi entre eux, chaque espèce a connu sa propre création.

Les tenants actuels de cette théorie, minoritaires parmi les croyants, s'appuient sur les principes de la science : on ne doit admettre comme vrai que ce qui a été démontré ou a été reproduit par l'expérience.

Donc, une théorie n'en efface pas une autre tant qu'il n'a pas été démontré « scientifiquement » qu'elle était fausse.

Ces croyants pensent que la théorie darwinienne de l'évolution n'est pas plus scientifique que la théorie biblique. Elle présente autant de failles et ses certitudes relèvent aussi de la croyance.

Il est bien évident que le doute subsistera tant que le phénomène de la vie - née, disent les scientifiques, d'une combinaison fortuite entre des éléments chimiques et de l'énergie - n'aura pas été reproduit en laboratoire. Et encore faudra-t-il savoir d'où provenaient ces éléments chimiques et cette énergie !

Il en est de même pour l'évolution tant que la science n'aura pas réalisé la mutation d'une espèce en une autre espèce, ce qui semble impossible. Nous sommes donc condamnés à ne vivre que de théories qui, comme les êtres, naissent et meurent.

La théorie biblique présente un avantage sur toutes les autres : elle n'a pas besoin d'être démontrée, il suffit de croire et tout s'explique.

Toutes les autres théories naissent du doute puisqu'il est souvent impossible de les prouver ; elles engendrent à nouveau le doute à partir duquel s'élaborent de nouvelles théories.

Dans un livre intitulé *La Bible, parole de Dieu ou des hommes ?*, publié en 1989, tiré à 13,5 millions d'exemplaires et traduit en vingt-sept langues, les méthodes scientifiques de l'archéologie sont mises en cause.

Les limites de l'archéologie

« *À la question "Peut-on qualifier les méthodes archéologiques d'objectives, de vraiment scientifiques ?", l'ouvrage* Le Monde de l'Ancien Testament *répond : "Les archéologues sont plus objectifs quand ils exhument un objet que lorsqu'ils le font parler, quoique le facteur humain soit aussi présent dans le choix des méthodes utilisées pour "fouiller" le sol. Ils font nécessairement disparaître leurs pièces à conviction à mesure qu'ils creusent les couches de terrain, si bien qu'ils ne sont jamais en mesure de contrôler leurs "expériences" en les reproduisant. Cela fait de l'archéologie une science à part, et la publication de travaux archéologiques une tâche des plus exigeantes, parsemée d'embûches.*

Il ressort de ce qui précède que, si l'archéologie peut se révéler très utile, elle est tout aussi faillible que n'importe quelle autre branche de l'activité humaine. Par conséquent, même si nous nous intéressons aux théories archéologiques, nous ne devrions jamais en faire des vérités absolues. Il ne faut donc pas systématiquement récuser la Bible et donner raison aux archéologues quand leurs interprétations la contredisent. Ne sont-ils pas bien des fois revenus sur leurs explications ? »

De Linné à Darwin

Les scientifiques qui se sont intéressé aux espèces végétales ou animales ont dû composer avec le mythe biblique de la Création.

Linné (1707-1778), naturaliste suédois à qui l'on doit la première grande classification des plantes, a été longtemps considéré comme un tenant du fixisme. Cette théorie prétend que les espèces vivantes ont toujours été les mêmes et n'ont subi aucune évolution depuis leur création.

Mais il est bien obligé de reconnaître que certains faits ne concordent pas avec cette affirmation. Il contourne la difficulté en admettant qu'il existe des déviations qu'il qualifie de formes monstrueuses, peut-être voulues par le Créateur.

Constatant qu'un de ces « monstres », une forme « déviante » d'une plante, la linaire, se reproduit, il est obligé de reconnaître que de nouvelles espèces peuvent surgir dans le monde végétal.

En ce qui concerne l'homme, Linné crée le genre *Homo* dans l'ordre des Primates. Pour lui, la différence entre *Homo sapiens* et *Homo sylvestris*, grand singe anthropoïde, n'est pas d'ordre anatomique mais psychologique et sociologique.

Bien que Linné soit un chrétien convaincu et déclare que « *la Nature proclame la gloire du Dieu de la Genèse* », il traite de sujets concernant la hiérarchie des espèces considérés comme tabous depuis l'instauration du christianisme. De ce fait, il ouvre involontairement la voie au transformisme et à tous les scientifiques qui vont « interpréter » ou remettre en cause la théorie du créationnisme.

Carl von Linné,
par A. Roslin.

Le transformisme s'oppose au fixisme. Cette théorie pose en principe que les espèces végétales et animales se sont transformées graduellement à un moment de leur reproduction tout en se disséminant dans l'espace.

Les causes et les modalités de cette transformation seront expliquées de façons diverses par les scientifiques et, aujourd'hui encore, en particulier avec le développement de la génétique, des théories divergentes sont exposées.

Jusque-là, la complexité des organismes vivants et leur adaptation aux milieux de vie étaient considérées comme émanant de la sagesse divine. En s'opposant au fixisme, le transformisme remet également en cause le créationnisme et l'origine divine des espèces vivantes.

Au cours du XVIIIe siècle, les premières idées transformistes vont être exprimées par Maupertuis (1698-1759), qui fait reposer l'hérédité sur des atomes de matière vivante, et par Buffon (1707-1788), tenant d'un transformisme restreint produit par le climat et la nourriture. Ce dernier croit toutefois à la génération spontanée, théorie selon laquelle la vie peut naître dans certaines conditions d'éléments matériels divers. C'est Pasteur qui, par ses expériences infirmant la génération spontanée, a renforcé les théories transformistes au XIXe siècle.

En 1769, Diderot (1713-1784) écrit que « *les besoins produisent les organes* ». Mais c'est Lamarck (1744-1829) qui représente le mieux le courant transformiste du XVIIIe siècle. Il constate que les êtres vivants forment un ensemble hiérarchisé et propose une classification naturelle des espèces allant du plus élémentaire au plus complexe.

Il émet l'hypothèse d'une transformation graduelle et continue des organismes, suggérant que l'homme aurait pu avoir pour ancêtre un singe semblable au chimpanzé.

Développant les idées de ses prédécesseurs, il considère que l'agent de la transformation est l'adaptation au milieu et que le besoin crée l'organe. Cette idée sera caricaturée par l'image de la girafe dont le cou s'allonge pour atteindre les branches les plus hautes des arbres.

Jean-Baptiste de Monet, chevalier de Lamarck. Lithographie de Louis Léopold Boilly.

D'une certaine façon, Cuvier (1769-1832) est aussi partisan de l'influence du milieu mais il voit les étapes du transformisme liées à de grandes catastrophes naturelles dans lesquelles il inclut le Déluge.

Bien qu'il n'ait pas employé ce mot, Charles Darwin (1809-1882) est considéré comme le père de la théorie de l'évolution.

Darwin et l'évolutionnisme

C'est au cours d'un voyage de cinq ans autour du monde que cet Anglais prend conscience de la diversité des animaux et s'interroge sur les mécanismes de formation des espèces.

Au cours de son périple sur le navire *Beagle*, Darwin constate que chaque île de l'archipel des Galápagos abrite une forme particulière de tortue, différente de celle des autres îles. Il en est de même pour les pinsons. Il en vient à considérer chaque population insulaire comme une espèce naissante.

En 1838, il suppose que la sélection naturelle est responsable de l'évolution. Ce n'est qu'en 1858 qu'il se décide à faire une communication à la Linnean Society (Société Linné).

À la même séance, Wallace (1823-1913), un jeune naturaliste anglais qui parcourt le monde pour récolter oiseaux et papillons qu'il revend à des muséums et à des collectionneurs, présente un travail sur le même sujet et traite de la sélection naturelle.

Un an plus tard, en 1859, Darwin fait paraître *De l'origine des espèces au moyen de la sélection naturelle* où, avec une grande rigueur logique, il expose ses idées en les fondant sur de nombreuses observations.

Comme Lamarck, il constate que le monde vivant n'est pas immuable, que les espèces se modifient sans cesse, qu'il en apparaît et en disparaît. Il indique que les fossiles diffèrent selon l'âge des terrains et que, plus ils sont anciens, moins ils ressemblent aux êtres vivants actuels.

Il croit que cette évolution est graduelle, qu'il n'y a pas de sauts évolutifs ni de changements brusques.

Charles Darwin, photographié vers 1875.

Il précise que les organismes qui se ressemblent sont apparentés et ont un ancêtre commun, donc, que tous les organismes vivant sur la Terre ont une origine commune.

L'évolution est le résultat de la sélection naturelle qui se fait par élimination des individus les moins bien adaptés aux variations du milieu.

Darwin contesté

« L'apport de la génétique dans la théorie de l'évolution fut d'abord à l'origine de polémiques entre les darwiniens de stricte obédience gradualiste [...], qui refusent d'accorder une importance majeure aux changements brusques résultant des mutations et professent que la "nature ne fait pas de sauts", et les "mutationnistes" [...] pour qui l'évolution s'explique par de brusques modifications des caractères, directement déterminées par les mutations qui affectent le génome.

La querelle entre les tenants d'une variation continue et ceux d'une variation discontinue aboutira au milieu du XXᵉ siècle à ce qu'on appelle d'abord le "néo-darwinisme", puis à la "théorie synthétique de l'évolution" [...]. Ce modèle consensuel admet que l'évolution des êtres vivants résulte de l'accumulation graduelle de micromutations géniques, se produisant au hasard mais retenues par la sélection naturelle ; il se montre toutefois assez vite insuffisant pour expliquer l'apparition et le maintien de divergences majeures dans les plans d'organisation anatomiques de nombreuses formes vivantes.

La fin du XXᵉ siècle a vu se développer d'autres types de théorie. La théorie neutraliste élaborée par Motoo Kimura (1924-1994) fait une large place au hasard contre la notion de sélection naturelle. Elle admet que la plupart des gènes sont « neutres » et que les mutations qui les affectent ne sont ni particulièrement avantageuses ni particulièrement défavorables ; l'évolution résulte en fait d'événements fortuits, totalement aléatoires.

La théorie des équilibres ponctués date de 1972 ; elle [...] postule que certaines mutations (macromutations) peuvent entraîner des effets particulièrement importants capables de bouleverser le développement d'un organisme et d'être à l'origine de la formation d'espèces nouvelles. Ce processus brutal, auquel on donne le nom de "ponctuation", est trop rapide et limité dans le temps et dans l'espace pour laisser des traces fossiles, ce qui explique qu'on ne puisse pas le mettre formellement en évidence.

En fait, il est très vraisemblable que les deux mécanismes sont à l'œuvre simultanément, que certains processus évolutifs sont gradués et que d'autres, ponctués, se font par sauts, et qu'enfin le pilotage de l'évolution, s'il repose largement sur la sélection dite "naturelle", accorde une large place à une sélection d'ordre fortuit.

La théorie darwinienne de l'évolution a suscité bien des polémiques et connu de nombreuses dérives, elle a fait - et fait encore - l'objet de diverses critiques ; elle a été amendée et recomposée à la lumière des découvertes du XXᵉ siècle, mais à terme on retiendra qu'elle a mis un point final aux thèses fixistes qui considéraient que toutes les espèces avaient été créées séparément au sixième jour de la Genèse... »

Claude-Louis Gallien,
Homo, histoire plurielle d'un genre très singulier, PUF.

Les ancêtres communs aux Primates

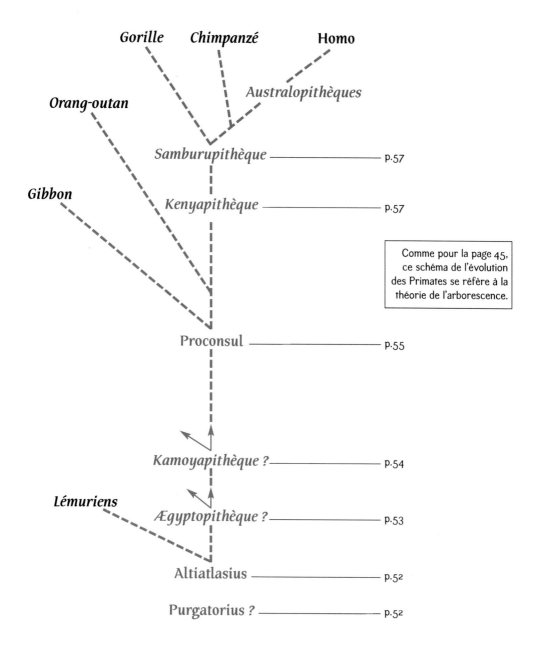

Gorille   Chimpanzé   Homo

Australopithèques

Orang-outan

Samburupithèque ————————— p.57

Gibbon

Kenyapithèque ————————— p.57

Comme pour la page 45,
ce schéma de l'évolution
des Primates se réfère à la
théorie de l'arborescence.

Proconsul ————————— p.55

Kamoyapithèque ?————————— p.54

Lémuriens

Ægyptopithèque ?————————— p.53

Altiatlasius ————————— p.52

Purgatorius ? ————————— p.52

Purgatorius *ou* Altiatlasius *?*

Purgatorius, contemporain des derniers dinosaures, est le précurseur d'un genre intermédiaire entre les lémuriens et les Primates.

Son nom (lié au Purgatoire) lui vient des conditions difficiles rencontrées par les chercheurs sur le site, les montagnes Rocheuses, aux États-Unis.

Il n'est pas plus gros qu'un rat, vit dans les arbres et se nourrit de fruits et d'insectes. Il colonise l'Eurasie, l'Afrique et l'Arabie avant que l'assèchement du climat provoque la sélection de nouvelles espèces.

Il possède une dentition complète de 44 dents avec, par demi-mâchoire, trois incisives, une canine, quatre prémolaires et trois molaires*.

* Cela se traduit par une formule dentaire représentant la demi-mâchoire : 3I, 1C, 4P, 3M. Cette formule permet de caractériser une espèce.

Les Plésiadapiformes sont des mammifères primitifs végétariens ressemblant aux rongeurs, avec des incisives à croissance continue.

Cette particularité pousse certains scientifiques à être très sceptiques sur le fait qu'ils soient les ancêtres des Primates modernes.

Ils préfèrent l'*Altiatlasius* trouvé au Maroc et âgé de 58 millions d'années. Ses restes comprennent une douzaine de dents de très petite taille qui font évaluer son poids à environ 120 grammes.

Cet ancêtre laisse supposer que les Primates sont des mammifères originaires d'Afrique.

Purgatorius, reconstitution.

Ægyptopithecus *et le singe du Fayoum*

C'est avec une très grande prudence qu'il faut parler aujourd'hui d'ancêtres communs, les dernières découvertes ayant remis en cause les théories établies.

Rechercher un ancêtre commun aux grands singes et aux hominoïdes nous amène en Haute-Égypte où, en 1961 et en 1987, sur le site du Fayoum, ont été trouvés des fossiles sans doute communs à la lignée des grands singes d'Afrique et aux hominoïdes.

Ces fossiles sont datés de - 33 à - 15 millions d'années. Les plus anciens vivaient dans un milieu forestier chaud et humide, qui est progressivement devenu saisonnier avec alternance de saison sèche et de saison humide.

Ils sont caractérisés par une boîte crânienne d'un volume moyen, avec un cerveau de petite taille et des orbites orientées vers l'avant. La denture est de 32 dents, comme celle de l'homme.

Certains de ces singes étaient minuscules et ne pesaient pas plus de quelques centaines de grammes.

C'est sans doute au moment où le climat et la végétation se sont modifiés que les petits singes ont cédé la place aux grands singes et aux hominoïdes.

L'*Ægyptopithecus* est le plus grand des singes du Fayoum et c'est le plus connu. Il avait la taille d'un chat et pesait environ 5 kg. Son volume crânien ne devait pas dépasser 30 cm^3.

On connaît une partie de son squelette locomoteur, qui correspond à celui des singes quadrupèdes arboricoles actuels, avec pieds et mains préhensiles. Il portait une longue queue. Son régime était essentiellement frugivore.

Les premiers hominoïdes africains

Kamoyapithecus Au cas où *Ægyptopithecus* serait définitivement exclu des hominoïdes, c'est vers *Kamoyapithecus* qu'il faut se tourner pour trouver un candidat au titre de premier hominoïde.

Découverts au nord du Kenya, ce sont un maxillaire et un morceau de canine, ajoutés à deux molaires supérieures trouvées précédemment, qui ont donné naissance au genre Kamoyapithèque. Il est daté de - 27,5 à - 24,2 millions d'années.

La taille du maxillaire laisse supposer un poids total de 30 kg environ. Il était quadrupède et sa nourriture devait être celle des singes arboricoles actuels.

La conformation et la structure de ses dents sont voisines de celles d'*Ægyptopithecus,* ce qui fait que certains paléontologues s'interrogent sur le fait de savoir s'il faut vraiment le classer parmi les hominoïdes. Ce pourrait être un rameau parallèle sans lien avec le genre.

Cette découverte vient renforcer la notion de diversification importante des Primates d'Afrique et montrer la difficulté à présenter une généalogie en forme d'arborescence.

Le toupaye a été longtemps classé parmi les Primates et, à ce titre, les espèces fossiles étaient considérées comme les ancêtres du genre (voir *Purgatorius,* p.52).

En remontant l'échelle du temps et la possible lignée des hominoïdes, on trouve des restes datés de - 20,6 millions d'années. Ce sont des fragments de crâne, de mâchoires, de fémur et quelques vertèbres découverts en 1961 et 1996 à l'est de l'Ouganda.

Morotopithecus bishopi

Ces ossements appartiennent à un grand singe de 1,20 m et 50 kg, dénommé *Morotopithecus bishopi.* On pense qu'il devait se déplacer dans les arbres mais commençait à se redresser.

Le genre Proconsul

Le candidat le plus sérieux au titre d'ancêtre des hominoïdes est le genre *Proconsul* dont un maxillaire fut mis au jour en 1927 à l'ouest du Kenya.

En 1948, un crâne, une face, une mandibule et des fragments de membres inférieurs viennent s'ajouter à la première découverte.

Les restes sont datés de - 17,7 millions d'années.

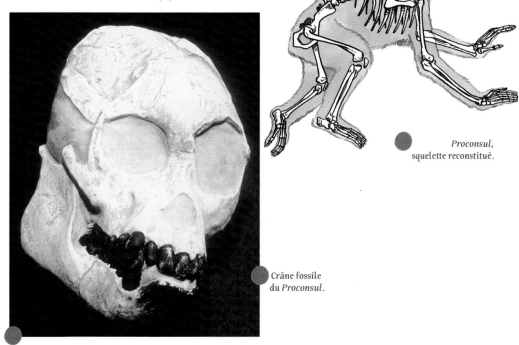

Proconsul, squelette reconstitué.

Crâne fossile du *Proconsul.*

D'autres fossiles sont venus compléter le genre *Proconsul* dont on connaît plusieurs espèces datées d'environ - 16,5 millions d'années.

Toutes seraient des quadrupèdes arboricoles, mais marchant facilement sur le sol dans un milieu forestier de moins en moins dense.

Les espèces de *Proconsul* pèsent de 15 à 50 kg et sont dépourvues de queue comme les singes modernes. Les membres supérieurs et inférieurs sont de même longueur, ce qui exclut la bipédie.

La denture est celle d'un frugivore. Le crâne possède une face moins longue que celle de l'*Ægyptopithecus* et son volume cérébral est plus élevé.

Comme pour les précédents, l'appartenance du genre *Proconsul* aux hominoïdes est remise en question par certains paléontologues.

D'autres singes contemporains du *Proconsul* ont été retrouvés au Kenya. Il semble que ce soit les modifications climatiques, en particulier la sécheresse, qui ont entraîné la disparition du genre *Proconsul*.

*Proconsul,
reconstitution.*

Les ancêtres communs aux Hominidés

En remontant encore l'échelle du temps, on trouve deux ancêtres communs aux Hominidés (gorilles, chimpanzés, australopithèques, hommes). Il s'agit de *Kenyapithecus* et de *Samburupithecus**.

* Il est appelé *Motopithecus* par certains auteurs.

Comme son nom l'indique, les restes décrits sous le nom de *Kenyapithecus* ont été trouvés au Kenya. Il s'agit de fragments de mâchoire, d'une dizaine de dents et d'un morceau d'humérus.

Kenyapithecus

Sa taille était celle d'un petit chimpanzé. Il devait avoir un museau assez court et ses dents, recouvertes d'une couche d'émail moyennement épaisse, laissent supposer une nourriture à base de fruits durs comme la noix.

L'humérus est celui d'un quadrupède vivant dans un milieu où les plantes herbacées ont pris la place des grands arbres.

Samburupithecus kiptalami est constitué d'un maxillaire trouvé au Kenya en 1984 et daté de - 9 millions d'années.

Samburupithecus

La mâchoire est semblable à celle d'un gorille mais les dents, par leur couche d'émail, ont un caractère plus humain.

Kenyapithecus évoluait dans un environnement où les plantes herbacées ont remplacé une partie de la forêt et qu'on appelle un milieu ouvert.

1771 Johan Friedrich Esper met au jour en Allemagne des ossements humains très anciens, premier homme préhistorique dont l'histoire ait retrouvé la trace.

1790 John Frere découvre des pierres polies, « bifaces ».

1820 Ernst Friedrich von Scholtheim exhume des restes humains en Allemagne.

1823 W. Buckland découvre un squelette coloré à l'ocre rouge : la « Dame rouge » est entourée de bijoux d'ivoire (25 000 ans).
Ami Boué exhume un squelette et des restes d'animaux sur les rives du Rhin.

1825 Le père Mc Enery met au jour dans le Devon des outils en silex et des os fossilisés.

1829 Pierre Shmerling découvre en Belgique des pierres taillées et des fragments de crânes humains.

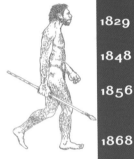

1848 Découverte à Gibraltar d'un crâne adulte bien conservé, qui sera plus tard considéré comme proche de celui de Neandertal.

1856 Découverte de « l'homme de Neandertal » près de Düsseldorf, qui sera baptisé en 1864 *Homo neandertalensis* (comme celui découvert à Gibraltar).

1868 Découverte de l'homme de Cro-Magnon en Dordogne.
C'est *Homo sapiens sapiens*.

1892 Découverte à Java par Eugène Dubois d'un fémur attestant l'aptitude à la station verticale : *Pithecanthropus erectus*.

1907 Une mâchoire de type humain est exhumée près de Heidelberg en Allemagne. Elle est datée de 600 000 ans. C'est « l'homme d'Heidelberg ».

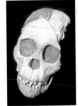

1908 à 1913 Charles Dawson découvre une calotte crânienne alliée à une puissante mandibule à Piltdown dans le Sussex, puis des dents dont l'usure correspond à une mastication de type humain. On s'apercevra en 1953 que l'« homme de Piltdown » est une supercherie réunissant un crâne d'homme moderne avec la mandibule d'un grand singe.

1925 Découverte par Raymond Dart de « l'enfant de Taung », *Australopithecus africanus*, le premier australopithèque.

1927 Découverte en Chine de trois dents puis d'une mâchoire inférieure et d'une calotte crânienne : *Sinanthropus pekinensis*, « l'Homme chinois de Pékin » (500 000 ans).

1936 Découverte en Afrique du Sud d'*Australopithecus robustus*.

1937 Découverte à Java d'un crâne semblable à celui du pithécanthrope de Dubois âgé de 500 000 ans. « L'homme de Java » est semblable à « l'homme de Pékin » et à « l'homme d'Heidelberg ». Ainsi naît une espèce qui sera appelée en 1950 *Homo erectus*.

découvertes

1936 à 1938	R. Broon découvre en Afrique du Sud un crâne d'un nouveau genre à l'aspect « quasi humain » : le paranthrope dénommé *Australopithecus robustus* (2 millions d'années).
1949	En Afrique du Sud, R. Broon met au jour *Australopithecus crassidens.*
1959	À Olduvai (Tanzanie), découverte par Mary Leakey d'*Australopithecus boisei* (1 750 000 ans).
1960 à 1964	Découverte à Olduvai par Mary et Louis Leakey de restes humains et d'outils de pierre : c'est *Homo habilis.*
1967	Dans la vallée de l'Omo, découverte par C. Arambourg et Y. Coppens d'*Australopithecus æthiopicus* (2,5 millions d'années).
1971	« L'homme de Tautavel » (Pyrénées-Orientales).
1974	Tom Gray découvre « Lucy », *Australopithecus afarensis* (3,18 millions d'années).
1985	Mise au jour de « Turkana boy » au lac Turkana.
1987	Sur le site d'Olduvai : découverte de « la fille de Lucy ».
1994	Découverte du « fils de Lucy » dans l'Afar éthiopien : *Australopithecus afarensis* (2,9 millions d'années). Découverte dans l'Afar par Tim White d'un crâne : *Ardipithecus ramidus* (4,4 millions d'années).
1995	À Kanapoï (Kenya, lac Turkana), découverte d'*Australopithecus anamensis* (4,2 à 3,9 millions d'années). Découverte au Tchad par M. Brunet d'« Abel », *Australopithecus bahrelghazali* (3,5 à 3 millions d'années).
1999	Découverte à Hata (Éthiopie) par B. Asfaw d'un crâne, *Australopithecus gahri.*
1997 à 2001	Découverte en Éthiopie d'*Ardipithecus ramidus kadabba* par Y. Hailé Sélassié (5,8 millions d'années).
2000	Découverte au Kenya de restes d'Hominidés bipèdes : *Orrorin tugenensis* (6 millions d'années). Découverte en Géorgie d'une mandibule qui, avec deux crânes mis au jour précédemment, constitue *Homo georgicus* (1,7 millions d'années).
2001	Michel Brunet découvre au Tchad « Toumaï », *Sahelanthropus tchadensis* (7 millions d'années). Découverte au Kenya par M. Leakey d'un crâne, *Kenyanthropus platyops* (3,5 millions d'années).

AU FIL DES DÉCOUVERTES

L es découvertes commencent dès la fin du XVIIIe siècle tandis que les connaissances scientifiques sont élémentaires. L'âge de la Terre est alors évalué à 6 000 ans, référence biblique.

Cuvier (1769-1832), considéré comme le fondateur de la science paléontologique, s'oppose aux doctrines évolutionnistes. Il estime que l'homme est apparu brusquement il y a quelques milliers d'années, sans liens avec les espèces qui l'ont précédé.

La découverte de l'homme de Neandertal en 1856 et la publication de *De l'origine des espèces au moyen de la sélection naturelle* de Charles Darwin en 1859 vont bouleverser les théories en place.

C'est alors qu'apparaît l'idée du « chaînon manquant » qui va mobiliser les chercheurs jusqu'à la fin du XXe siècle. À partir de cette époque, de nombreuses découvertes vont donner à la paléoanthropologie une autre orientation.

Les premières découvertes

La première découverte dont on ait la trace est celle faite par Johan Friedrich Esper en 1771, dans une grotte en Allemagne. Il y trouve des ossements humains très anciens accompagnés de restes d'un animal de grande taille.

Il pense que ces ossements pourraient appartenir à un homme qui aurait vécu avant le Déluge. Mais les savants de l'époque le persuadent de son erreur. On pense aujourd'hui qu'il s'agit sans doute du premier homme préhistorique mis au jour.

Quelques années plus tard, en 1790, l'Anglais John Frere découvre dans les déblais d'une briqueterie du Suffolk des pierres taillées et des restes d'animaux disparus. Ces « bifaces » sont la trace d'une activité humaine précédant l'âge des métaux. Là encore, il se heurte au scepticisme des savants.

En 1820, des restes humains et des squelettes d'animaux disparus, mis au jour par Ernst Friedrich von Scholtheim en Allemagne, ne rencontrent pas plus de succès. Sur les instances de Cuvier qui nie l'existence d'hommes fossiles, Scholtheim émet lui-même des doutes sur la valeur de sa découverte.

La même année, le géologue autrichien Ami Boué (1794-1881) découvre sur les rives du Rhin un squelette humain associé à des restes d'animaux disparus. Il pense avoir découvert un homme fossile, mais Cuvier estime que ces restes doivent provenir d'un ancien cimetière.

La Dame rouge de Paviland

Le premier homme fossile qui sera reconnu - avec retard - par la communauté scientifique est la Dame rouge, découverte en 1823 par un professeur de géologie anglais, William Buckland (1784-1856). Il découvre dans une grotte à Paviland, au pays de Galles, un squelette coloré à l'ocre rouge et entouré de bijoux d'ivoire.

La première évaluation qui s'appuie sur les théories de Cuvier fait remonter la vie de cette femme au temps des Romains. Plus tard, on établira qu'il s'agissait en fait d'un jeune homme dont l'existence remonterait à 25 000 ans et que l'ivoire proviendrait d'un mammouth.

Cette histoire montre les difficultés rencontrées à l'époque pour dater une découverte en l'absence de critères scientifiques indiscutables. Toutes les théories sont possibles et les savants en place, tel Cuvier, font la loi.

L'ancienneté de l'espèce humaine

D'autres découvertes vont inciter un certain nombre de scientifiques à s'opposer aux idées de Cuvier et à défendre l'idée de l'existence d'hommes fossiles. Citons celle du père Mc Ennery, en 1825, d'outils en silex et d'os fossilisés dans le sol d'une caverne du Devon (Angleterre), ou celle en 1829 du Belge Philippe Schmerling de pierres taillées, de fragments de crânes humains et de restes de mammouths et de rhinocéros laineux.

La découverte du crâne de l'homme de Gibraltar, en 1848, renforce cette idée, mais ce n'est que plus tard qu'il sera assimilé aux néandertaliens.

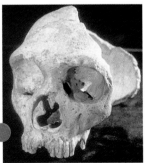

Reconstitution du crâne de l'homme de Gibraltar
à l'université de Zürich, en Suisse.

Jacques Boucher de Crèvecœur de Perthes (1788-1868) a recueilli à Abbeville (Somme) des silex taillés et polis par des hommes. Il pose publiquement le premier le problème de l'origine et de l'ancienneté de l'espèce humaine qu'il situe bien avant les temps bibliques. Mais, dans le contexte de l'époque, il cherche une explication divine qu'il abandonnera pour envisager une forme de transformisme appliqué à l'espèce humaine.

Le Britannique Charles Lyell (1797-1875) étudie alors les découvertes de Boucher de Perthes et avance une ancienneté d'au moins 100 000 ans. Il crée la notion d'homme préhistorique et invente l'ère quaternaire.

L'homme de Neandertal

L'homme de Neandertal est le premier homme fossile à avoir été reconnu comme appartenant à une espèce humaine dont l'existence aurait été antérieure aux temps bibliques.

Auparavant, il était admis que la création de la Terre remontait à 6 000 ans et que l'homme était apparu plus tard.

Il a fallu de nombreuses découvertes avant que cette théorie soit enfin reconnue par la communauté scientifique.

Les premières découvertes

En 1856, des ouvriers exploitant une carrière de calcaire dans la vallée (*Tal*, en allemand) de Neander, près de Düsseldorf en Allemagne, mettent au jour divers ossements : débris d'une boîte crânienne, morceau de bassin, côtes, fragment d'omoplate, os du bras et de la cuisse. Ces restes sont alors considérés comme provenant d'un ours.

Confiés à un instituteur, Johann Karl Fuhlrott, celui-ci y voit les restes d'un homme primitif. Cette interprétation est confirmée par Hermann Schaafhausen qui, pourtant, est persuadé que la Terre date de 6 000 ans.

De nombreuses autres interprétations, plus ou moins crédibles, sont émises, mais aucune ne s'écarte de la théorie biblique. En 1863, William King évoque tout de même la possibilité que l'homme de Neandertal soit le représentant d'une forme éteinte de l'espèce humaine. Il l'appelle *Homo neandertalensis,* espèce distincte d'*Homo sapiens*.

De 1866 à 1880, des restes sont mis au jour en divers points d'Europe présentant des caractères semblables à ceux de l'homme de Neandertal.

D'autres découvertes

En 1886, dans la grotte du Spy d'Ormeau en Belgique, deux squelettes néandertaliens sont découverts avec des outils et des restes d'animaux disparus.

En 1899, en Croatie, sont trouvés des éléments d'une quinzaine de squelettes de type néandertalien avec outils, ossements d'animaux disparus et traces de foyers.

En 1908, à Moustier en Dordogne, le Suisse Otto Hauser découvre un squelette complet d'un adolescent néandertalien. Les traces de rites funéraires renforcent l'idée qu'il s'agit bien d'une espèce « humaine ».

L'humanité reconnue

La même année, près de la Chapelle-aux-Saints en Corrèze, A. et J. Bouyssonie mettent au jour un squelette adulte néandertalien qui, lui aussi, a fait l'objet de rites funéraires. L'humanité des Néandertaliens est alors définitivement admise.

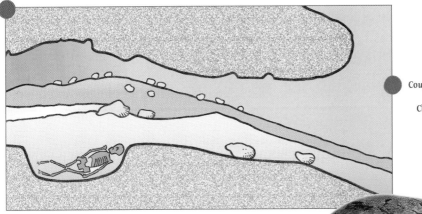

Coupe schématique de la grotte de La Chapelle-aux-Saints (Corrèze).

C'est Marcellin Boule (1861-1942) qui, en s'appuyant sur les découvertes antérieures et sur celles de la Ferrassie en Dordogne (1909) et de la Quina en Charente (1910), dressera le premier portrait des Néandertaliens.

Crâne d'*Homo sapiens neandertalensis* (La Ferrassie, Dordogne).

Homo neandertalensis

L'homme de Neandertal a vécu entre -150 000 et -35 000. On en a retrouvé des traces dans une centaine de sites en Europe, en Israël et en Irak.

Son crâne est beaucoup plus long que large (dolichocéphalie) et les arcades sourcilières sont volumineuses. Il se tient debout mais est légèrement plus voûté que l'homme moderne. On a longtemps discuté pour savoir si son larynx était en position haute ou basse, ce qui est la clé du langage articulé *(voir page 22)*. Il semble admis aujourd'hui que l'homme de Neandertal parlait.

Plusieurs foyers attestent que les Néandertaliens vivaient en tribus et pratiquaient la chasse en groupes organisés. Ils capturaient des oiseaux et pêchaient des poissons. Ils se nourrissaient également de racines, de feuilles et de champignons. Ils travaillaient le bois et les peaux, et confectionnaient des vêtements grossiers avec de la fourrure attachée par des liens passés dans des trous.

Des squelettes trouvés dans des positions spécialement choisies permettent d'affirmer qu'ils enterraient certains de leurs morts. Les corps reposaient dans une fosse et étaient parfois recouverts de dalles protectrices. Près des corps, des restes d'animaux, des ossements, des outils pourraient être des provisions pour une vie dans un autre monde.

Les hommes de Neandertal se sont adaptés à des milieux et des climats différents. Ils ont installé de vastes campements en plein air, à proximité des cours d'eau et ont construit des huttes.

Abri-sous-roche du Moustier (Dordogne). Dans ce site ont vécu des Néandertaliens.

En période de froid, ils se réfugiaient à l'entrée des grottes ou dans des abris-sous-roche en hauteur, bien exposés au soleil. Ils pouvaient ainsi dominer la vallée et se prémunir contre n'importe quel danger.

Ils avaient le souci d'un certain confort : on a retrouvé des dalles couvrant le sol des abris. Les parois ont probablement supporté des peaux ou des protections en bois pour une meilleure isolation au cours des périodes froides.

Ils fabriquaient des outils en silex taillés sur une seule face ou en préparant un bloc et en taillant tout autour pour détacher un éclat. Ils transmettaient leur savoir technique à leurs enfants.

Ils ont disparu vers -35 000 sans qu'on en connaisse la raison.

L'homme de Cro-Magnon

Douze ans après la découverte de l'homme de Neandertal, en 1868, une équipe de terrassiers travaillant dans une grotte près des Eyzies en Dordogne, au lieu-dit le Cro-Magnon, mettent au jour les restes de quatre squelettes humains. Il s'agit de deux hommes, une femme et un bébé. Auprès des ossements se trouvent des outils de pierre, des dents et des coquillages perforés provenant sans doute d'un collier.

Ces fossiles sont très proches de l'homme dénommé *Homo sapiens** par Darwin. Ils renforcent l'idée du moment que l'homme de Neandertal n'est pas une espèce différente mais un individu dégénéré.

D'autres vestiges du même type sont découverts plus tard en Europe et au Moyen-Orient.

Les hommes de Cro-Magnon auraient remplacé les hommes de Neandertal sans qu'une filiation puisse être établie entre eux.

Apparu au Proche-Orient, *Homo sapiens sapiens** est arrivé en Europe il y a plus de 100 000 ans. Son crâne est plutôt arrondi, son front redressé ; il ne présente pas l'aspect en museau des Néandertaliens, ni les bourrelets au-dessus de l'arcade sourcilière. La face est plus droite, la capacité du cerveau varie de 1 000 à 2 000 cm³.

Homo sapiens sapiens

Crâne de l'homme de Cro-Magnon.

* Dans l'espèce *Homo sapiens* (« l'homme sage »), on distingue des sous-espèces telles *Homo sapiens neandertalensis* (l'homme de Neandertal) et *Homo sapiens sapiens*, plus proche de l'homme actuel.

Très présent sur le territoire de la France actuelle, plus particulièrement dans le Périgord, il a occupé un espace beaucoup plus vaste qui s'étend du bord de l'océan Atlantique jusqu'à la Russie. Vers - 8 000, il s'installe en Israël et en Syrie.

Toujours en quête de nouveaux territoires de chasse, il poursuit le renne, le bœuf musqué, l'aurochs, le mammouth.

La taille de la pierre est de plus en plus fine et précise ; l'os et l'ivoire sont sculptés et taillés : aiguilles à chas, harpons.

Certains rites le poussent à fréquenter les cavernes, comme Lascaux en Dordogne ou Pech-Merle dans le Lot, pour y peindre des réprésentations symboliques.

Au Proche-Orient, il développe l'agriculture, l'élevage, la poterie et le polissage de la pierre, puis, plus tard, le commerce.

Vers - 3 500, il invente l'écriture et entre dans l'histoire.

Bâton perforé en bois de renne.

Peintures murales de la grotte Cosquer (Bouches-du-Rhône).

L'homme de Java

À la fin du XIXe siècle, les scientifiques sont persuadés qu'il existe un « chaînon manquant », fossile intermédiaire entre les anthropoïdes et l'homme.

Homme-singe ou singe-homme

La question se pose de savoir si la différence essentielle repose sur la bipédie ou sur le développement du cerveau.

Certains décrivent un homme-singe ou anthropopithèque se tenant debout mais voûté, doué de facultés intellectuelles supérieures à celles du singe, avec un langage articulé primitif.

D'autres, comme le zoologiste allemand Ernst Heinrich Haeckel (1834-1919), y voient un singe-homme ou pithécanthrope ayant *« un crâne intermédiaire entre celui d'un singe et celui d'un homme, et des jambes adaptées à la marche »* mais dépourvu de langage articulé.

C'est le médecin et paléontologue hollandais Eugène Dubois (1858-1940) qui, à Java en 1891, découvre une dent fossile puis une calotte crânienne de faible capacité.

Pithecanthropus erectus

Poursuivant ses recherches il met au jour, en 1892, un fémur dont la conformité correspond à la station verticale. En 1895, ce fossile est présenté comme le chaînon recherché auquel Dubois donne le nom de *Pithecanthropus erectus,* le singe-homme debout.

Cette découverte n'est pas reconnue par la communauté scientifique qui y voit soit un singe, soit un homme, mais pas une espèce intermédiaire.

Depuis, des centaines de fragments de squelettes présentant les mêmes particularités ont été mis au jour à Java.

Le crâne est aplati, surbaissé, avec une capacité supérieure à celle des grands singes. Les arcades sourcilières sont proéminentes, le front est fuyant. Le fémur est remarquablement droit.

La datation n'a été déterminée qu'en 1994 et elle est imprécise : entre l'âge des terrains et l'âge du fossile évalué par une méthode contestée, l'âge de l'homme de Java se situe entre 40 000 et 1,9 million d'années.

Moulage du crâne de l'homme de Java. [Museum de Zürich, Suisse]

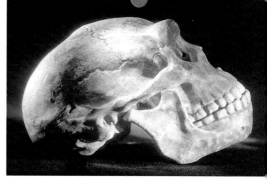

L'homme de Heidelberg

En 1907, à Mauer en Allemagne, est mise au jour une mâchoire de type humain, datée de 600 000 ans, par référence au terrain.

Otto Schoetensack (1850-1912), le découvreur, l'attribue à un homme qui vivait en Europe à cette époque et qu'il appelle « l'homme de Heidelberg ». Il sera plus tard assimilé à *Homo erectus* (voir page 70).

Homo heidelbergensis
à la chasse.
Dessin de Johann
Brandstetter, 2001.

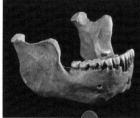

Mâchoire
de l'homme de
Heidelberg.

Le « faux » de Piltdown

Entre 1908 et 1912, à Piltdown dans le Sussex anglais, un anthropologue amateur découvre des fragments de squelette s'apparentant au singe et à l'homme. Il s'agit d'une calotte crânienne identique à celle de l'homme moderne et d'une mandibule semblable à celle d'un singe.

Cette découverte est suivie sur le même site, en 1913, de dents d'apparence simiesque mais dont l'usure montre un régime alimentaire de type humain.

Cette découverte est saluée par le monde scientifique comme celle d'un « homme précoce ».

Pourtant, certaines anomalies font douter que ces restes appartiennent à un même individu : le crâne et les dents sont d'âge mûr alors que la mâchoire est celle d'un enfant.

Ce n'est qu'en 1953 qu'on s'apercevra que l'homme de Piltdown est une super-cherie : un crâne d'homme avait été patiné artificiellement. la mandibule était celle d'un singe et les dents simiesques avaient été limées.

On saura plus tard que le canular était l'œuvre d'un préparateur de laboratoire du British Museum, peut-être dans l'idée d'une vengeance envers son employeur.

L'enfant de Taung

En 1925, Raymond Dart (1893-1988) annonce qu'il a découvert en Afrique du Sud un crâne fossilisé d'enfant singe ayant des caractères humains, « l'enfant de Taung ». Il pense avoir trouvé le chaînon manquant, un préhominien intermédiaire entre les grands singes et l'homme.

Bien que se heurtant au scepticisme des scientifiques qui refusent de voir en l'Afrique le berceau de l'homme, sa découverte est très importante : c'est le premier australopithèque, *Australopithecus africanus,* le singe d'Afrique du Sud.

Sa découverte est occultée par celle de l'homme de Pékin, mais sera suivie par de nombreuses autres *(voir page 72).*

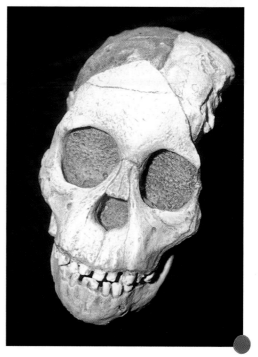

L'homme de Pékin

Un jeune médecin canadien Davidson Black (1885-1934) est convaincu que le berceau de l'humanité se trouve en Asie. En 1927, il fouille les grottes situées près de Zhoukoudian, à 40 km de Pékin.

Il trouve trois dents d'origine humaine, mais différentes de celles de l'homme moderne. Il déclare avoir identifié « l'homme chinois de Pékin » qu'il dénomme *Sinanthropus pekinensis.*

En 1928-1929, sont mises au jour une mâchoire inférieure et une calotte crânienne qui sont attribuées au sinanthrope dont l'existence remonte à 500 000 ans.

Il faudra attendre 1935 pour affirmer que c'est bien un homme et non pas le chaînon manquant. Comparé à d'autres découvertes, il sera le prototype de *Homo erectus.*

Homo erectus

En 1937, est découvert à Java un crâne semblable à celui du pithécanthrope mis au jour par Eugène Dubois en 1892. Il s'apparente également à l'homme de Heidelberg de 1907 et à l'homme de Pékin de 1927.

L'homme du Vallonnet, reconstitution.
[Musée de Menton, Alpes-Maritimes]

C'est en 1950 que Ernst Mayr, du musée d'Histoire naturelle de New York, dénommera l'espèce *Homo erectus*.

Sa capacité crânienne varie de 780 à 1 225 cm³. Son crâne est long et bas ; les os de la voûte crânienne sont épais. Le front est fuyant et le bourrelet de l'arcade sourcilière très marqué. Le menton est absent ou légèrement ébauché. Les dents sont plus grandes que celles de l'homme moderne.

En 1958, une petite fille découvre au Vallonnet, à Roquebrune-Cap-Martin (Alpes-Maritimes), l'un des plus anciens sites d'Europe occupés par *Homo erectus* il y a 1 million d'années.

Des traces de foyers datant de 800 000 ans ont été retrouvées dans la grotte de l'Escale dans les Bouches-du-Rhône. Des foyers plus importants datant de 350 000 à 400 000 ans ont été mis au jour en Chine.

L'homme de Tautavel

En 1964, à Tautavel dans les Pyrénées-Orientales, dans la grotte de la Caune de l'Arago, des fouilles ont permis d'exhumer des quantités de restes humains ainsi que des fossiles d'animaux datant de 700 000 ans.

Cette grotte offre de grands avantages : elle est spacieuse, exposée au soleil levant. Le sol est empierré pour protéger contre l'humidité. Elle domine la plaine et le cours d'eau, les chasseurs peuvent ainsi observer les déplacements du gibier.

Dans cette grotte, plusieurs campements se sont succédé. Les hommes s'installaient pour un temps puis repartaient en abandonnant outils et déchets.

L'homme de Tautavel chasse le loup étrusque, le renard polaire, l'ours, le lapin, le renne, le cheval, le bœuf musqué, le bison, le sanglier, le rhinocéros selon le climat du moment. Il capture aussi des oiseaux et des rongeurs. Sans doute les chasseurs organisent-ils des groupes pour traquer les animaux. Il ne sait pas encore faire du feu.

Crâne de l'homme de Tautavel.

Homo erectus taille la pierre en prévoyant la forme qu'il va donner à son outil : racloir, grattoir, burin, perçoir…

Les outils

Des javelots retrouvés en Allemagne en 1996 montrent qu'il savait travailler le bois.

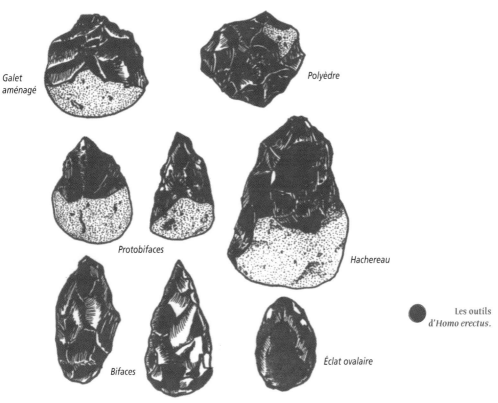

Galet aménagé

Polyèdre

Protobifaces

Hachereau

Bifaces

Éclat ovalaire

Les outils d'*Homo erectus*.

Les australopithèques

Australopithecus africanus.

La mise au jour par Raymond Dart de l'enfant de Taung en 1925 en Afrique *(voir p. 69)* est le prélude à une longue suite de découvertes qui se poursuit encore aujourd'hui.

Une nouvelle espèce est apparue : l'australopithèque (le singe du Sud). C'est un préhumain, intermédiaire entre les grands singes et l'homme, qui a peuplé l'Afrique il y a entre 6,5 et 1 millions d'années.

Toute la morphologie de son squelette révèle une attitude bipède. On pense que la découverte de l'outil et le besoin de libérer leurs mains ont poussé ces préhumains à adopter la station debout.

La conformation de leur palais et l'emplacement de leur larynx laissent penser qu'ils ne communiquaient pas par un langage articulé, mais sans doute par des cris.

Au fur et à mesure des découvertes, on sera amené à distinguer deux types d'australopithèques : les graciles, mesurant de 1,10 à 1,30 m et pesant de 30 à 45 kg, et les robustes ou paranthropes, jusqu'à 1,75 m et 80 kg.

Australopithecus robustus.

Crâne d'*Australopithecus boisei.*

A

B

Différenciation entre
Australopithèque gracile (A) et robuste (B).

En 1936, l'Écossais Robert Broon (1866-1951) découvre en Afrique du Sud, près de Pretoria, le crâne d'une femelle adulte qui sera reconnue du type australopithèque.

Les australopithèques robustes

En 1938, il exhume un fossile de grande taille qu'il appelle d'abord « paranthrope », puis *Australopithecus robustus*.

De 1947 à 1949, le même Robert Broon met au jour les restes d'une espèce à grosses dents, *Australopithecus crassidens*.

En 1959, Mary Leakey (1913-1996) et Louis Leakey (1903-1972) découvrent, dans la gorge d'Olduvai en Tanzanie, des restes encore plus robustes que ceux mis au jour par Robert Broon. Leur âge est évalué à 1,75 million d'années. Le nom d'*Australopithecus boisei* leur sera donné.

En 1967, dans la vallée de l'Omo en Éthiopie, Camille Arambourg et Yves Coppens mettent au jour un paranthrope, *Australopithecus æthiopicus,* de - 2,3 millions d'années, qui prouve que cette espèce était plus ancienne qu'on ne l'avait cru.

Un autre robuste, découvert en Afrique australe, *Australopithecus crassidens*, est daté de - 1,7 à - 1 million d'années, ce qui montre l'étendue de la période pendant laquelle ont vécu les *robustus*.

Australopithecus boisei.

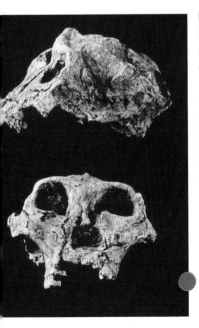

Crâne d'un *Paranthropus crassidens*.

Le fait que les australopithèques robustes soient contemporains d'*Homo habilis**, d'*Homo rudolfensis*** et d'*Homo ergaster****,* alors que les graciles ont disparu, ont amené certains paléontologues à les considérer comme un genre à part, entre *Australopithecus* et *Homo*. C'est pourquoi certains ouvrages les nomment paranthropes ou *Paranthropus*.

Le paranthrope, un genre à part ?

* p. 90.

** p. 93.

*** p. 94.

Lucy

En 1974, une équipe de paléontologues, dont l'Américain Tom Gray et le Français Yves Coppens, découvre dans le désert de l'Afar, à l'est de l'Éthiopie, une grande partie d'un petit squelette.

C'est *Australopithecus afarensis* que les découvreurs baptiseront « Lucy », du nom d'une chanson des Beatles. Il mesure à peu près 1 m et est daté d'environ - 3 millions d'années.

Ce sont les restes d'un même individu femelle mort vers l'âge de vingt ans. Le squelette comporte cinquante-deux os : crâne, mâchoire, vertèbres, côtes, membres supérieurs et inférieurs, bassin et sacrum. Elle était parfaitement bipède, mais elle grimpait aussi aux arbres.

Lucy, reconstitution.

Le portrait de Lucy

« *Elle est légèrement voûtée avec des membres supérieurs un peu plus longs que les nôtres par rapport aux membres inférieurs, une petite tête, des mains capables de saisir des objets mais aussi des branches [...] En comparant différents types de marche [...] on en a déduit que le pas de Lucy devait être plus court que le nôtre, rapide, un peu trotté, et peut-être ondulé [...]*

Malgré sa bipédie, elle grimpe encore aux arbres comme certaines de ses articulations le montrent : le coude et l'épaule présentent un ajustement plus solide que le nôtre, qui agit comme une sécurité quand elle passe d'une branche à l'autre, les phalanges sont un peu arrondies, le genou possède au contraire une grande amplitude de rotation, aptitudes typiques du grimpeur qui ajuste ses sauts dans l'espace. Elle vit en société [...] L'épaisseur de l'émail de ses dents indique qu'elle devait manger des fruits, mais aussi des tubercules. »

Yves Coppens, *La Plus Belle Histoire du monde*, Éd. du Seuil.

Après la découverte de Lucy, on pense pouvoir mieux définir les proportions corporelles et le mode de locomotion des australopithèques.

Le corps est large et trapu, le bras long ; ils adoptent une position dressée sur des jambes courtes. La lordose* lombaire est proche de celle de l'homme, malgré une vertèbre supplémentaire comme pour les grands singes.

Le bassin court, en forme de cuvette, renforce les aptitudes à la bipédie.

Le squelette de Lucy.
Ce sont les restes du squelette d'un même individu femelle mort vers l'âge de vingt ans.

À peu près toutes les parties du squelette sont représentées : crâne, mâchoires, vertèbres, côtes, membres supérieurs et inférieurs, bassin et sacrum (52 os).

* Lordose :
courbure normale
de la colonne
vertébrale dans les
parties cervicale et
lombaire.

L'East Side Story

La formation
du Rift africain

Constatant qu'à notre époque des chimpanzés et des gorilles vivent dans la forêt tropicale et dans la savane humide à l'ouest de la vallée du Rift africain et que de nombreux australopithèques ont été trouvés dans cette vallée et à l'est, Yves Coppens présente en 1982 une théorie qu'il appelle « *l'East Side Story* ».

Il y a 10 millions d'années, la forêt tropicale s'étendait de l'Atlantique à l'océan Indien. Elle était peuplée par les ancêtres des paninés et des Hominidés qui menaient une vie arboricole.

Il y a 7 millions d'années, la vallée du Rift s'effondre *(voir p. 41)*. Une faille cisaille l'Afrique et entraîne des modifications climatiques ayant des répercussions importantes sur la végétation.

Les vents d'ouest qui apportaient de l'humidité dans cette zone sont arrêtés par une véritable barrière. Dans tout l'Est africain, la pluviosité diminue, ce qui provoque un recul de la forêt. De ce fait, la faune arboricole se replie sur l'Ouest, mieux arrosé et où la forêt persiste.

Volcan N'Gorongoro,
en Tanzanie :
une barrière naturelle qui bloque les masses nuageuses.

D'après Yves Coppens, les modifications climatiques et végétales vont pousser la population de singes hominoïdes à se scinder en deux groupes distincts qui vont devoir s'adapter au milieu.

L'apparition des australopithèques

Un premier groupe se développe dans l'ouest où persistent des zones boisées et suit une évolution qui en fera des prégorilles ou des préchimpanzés.

Un second groupe va se développer sur la partie est et s'adapter aux nouvelles conditions : les arbres sont rares, la nourriture dispersée, les végétaux riches en silice usent rapidement les dents. La sélection naturelle va faire son œuvre : les individus arboricoles aux dents couvertes d'une couche d'émail peu épaisse vont disparaître. Ceux, très rares, capables d'adopter une bipédie partielle et dont la couche d'émail est plus épaisse, vont pouvoir trouver leur nourriture et survivre : les australopithèques porteurs de ces caractères réussissent leur adaptation.

En 1998, Claude-Louis Gallien écrit : « *L'hypothèse de* l'East Side Story *doit sans doute être revue sur bien des points, mais elle demeure satisfaisante en l'état actuel de nos connaissances.* »

De nouvelles découvertes en fin du deuxième millénaire et au début du troisième vont à la fois renforcer et remettre en cause cette théorie.

La Rift Valley.

D'autres australopithèques de l'East Side Story

Le fils de Lucy

Un autre *Australopithecus afarensis*, dénommé « le fils de Lucy », daté de - 2,9 millions d'années, est découvert en 1994 dans l'Afar éthiopien. Il s'agit d'un crâne presque complet, volumineux, avec de puissantes canines, et d'un long cubitus.

Ardipithecus ramidus

Également dans la même région, en 1994, Tom White met au jour un australopithèque daté de - 4,4 millions d'années : des fragments de fémur, d'humérus, de crâne, de mandibules et de dents. Il est plus proche des grands singes actuels que de l'homme.

Dénommé *Ardipithecus ramidus,* il présente une bonne aptitude à la bipédie. Mais il menait sans doute une vie arboricole dans un milieu forestier dense. Il se nourrissait de fruits et de végétaux variés.

Considéré par ses « inventeurs » comme le chaînon manquant, racine de l'humanité, les paléontologues y voient plutôt, en raison de ses caractères simiesques, un ancêtre des chimpanzés.

Australopithecus anamensis

En 1995, à Kanapoï, près du lac Turkana au Kenya, est découverte une espèce ancienne présentant à la fois des caractères simiesques et des caractères humains, principalement en ce qui concerne l'émail des dents et la bonne articulation du genou montrant une réelle aptitude à la bipédie.

Australopithecus anamensis, daté de - 4,2 à - 3,9 millions d'années, aurait vécu dans les bandes forestières situées en bordure des cours d'eau. Yves Coppens en fait un candidat sérieux au titre de véritable ancêtre de l'homme.

Australopithecus gahri

En 1999, B. Asfaw découvre à Hata en Éthiopie *Australopithecus gahri,* daté de - 2,7 millions d'années : un crâne bien conservé, une mandibule et des os. Il présente des caractères analogues à *Australopithecus afarensis,* mais certaines dents développées comme celles des paranthropes. Les membres indiquent la bipédie et une vie arboricole.

Abel, première interrogation

Michel Brunet, de l'université de Poitiers, s'appuyant sur la théorie de *l'East Side Story,* a prospecté au Tchad, à la recherche de fossiles concernant les ancêtres des singes.

En 1995, il découvre une mâchoire inférieure portant encore quelques dents. Ces restes, datés de - 3,5 à - 3 millions d'années, ne sont pas à première vue très importants.

L'étude des dents de ce contemporain de Lucy (à 500 000 ans près, mais tout est relatif !) fait apparaître des caractères de type humain plus accentués.

Ce n'est donc pas un singe, mais un australopithèque qui sera dénommé *Australopithecus bahrelghazali,* ou encore « Abel ».

Ce qui pose problème, c'est qu'il a été découvert au Tchad, sur les bords de la rivière aux gazelles, à plus de 2 000 km du territoire attribué aux australopithèques par la théorie de *l'East Side Story.*

Ce n'est là bien sûr qu'un seul exemple par rapport à la quantité de fossiles trouvés à l'Est, un individu qui a pu s'égarer et venir échouer dans cette région. Ce n'en est pas moins pour les paléontologues une première interrogation sur la réalité de la théorie exposée par Yves Coppens puisqu'Abel vivait à l'ouest du Rift, dans un milieu boisé considéré jusque-là comme réservé aux grands singes.

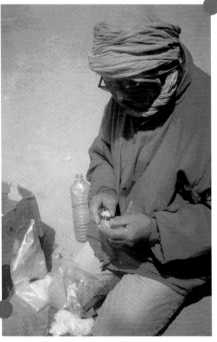

Pour Brigitte Senut, paléontologue et maître de conférences au Muséum d'histoire naturelle, la découverte d'Abel ne remet pas en cause la théorie de *l'East Side Story* : *« Pour que l'hypothèse devienne obsolète, il faudrait découvrir des australopithèques de 8 Ma dans des régions comme le Tchad ou bien des chimpanzés de 3 Ma en Éthiopie. »* Qu'en est-il donc de Toumaï *(voir p. 86)* ?

Michel Brunet, tenant la mâchoire inférieure d'Abel, sur le site de sa découverte au Tchad.

Orrorin, « l'homme originel »

Le plus vieil hominidé

En janvier 2001, a été présenté au Collège de France un ensemble de treize pièces fossiles découvertes dans les collines Tugen, au nord-ouest du Kenya, par une équipe franco-kenyane dont Martin Pickford et Brigitte Senut.

Des fragments d'os - un fémur, un humérus, une phalange de la main, des morceaux de mandibules -, une canine et une incisive mis au jour entre le 13 octobre et le 23 novembre 2 000 ont été associés à une molaire découverte en 1974 pour constituer une espèce nouvelle dénommée *Orrorin tugenesis,* « l'homme originel », et présentée comme « l'ancêtre du millénaire ».

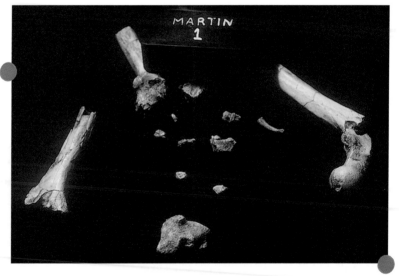

Orrorin : les restes avec, au centre, une demi-mandibule et des dents.

Une remise en cause

Le lieu de la découverte, plusieurs sites dont principalement celui de Kapsomin, renforce la théorie de *l'East Side Story* selon laquelle la Rift Valley serait le berceau de l'humanité.

Mais elle va à l'encontre des conclusions tirées après la découverte de Lucy. « Orrorin » est plus âgé que tous les australopithèques connus à ce jour. Pourtant, il est anatomiquement le plus proche de l'homme moderne. Cela laisse supposer que la séparation entre la lignée des australopithèques et celle de l'homme est plus ancienne qu'on le croyait.

Cela implique également une nouvelle orientation de la recherche de l'ancêtre. La séparation entre les lignées australopithèques/hommes serait plus ancienne que la séparation australopithèques/grands singes.

La naissance des australopithèques est repoussée à 7 ou 8 millions d'années ; ils seraient issus d'un ancêtre commun à l'homme et aux singes au moment de la formation du Rift.

Cette découverte renforce également l'idée que l'évolution des espèces des Hominidés n'a pas été linéaire, l'une remplaçant l'autre. Elle a été, selon le mot d'Yves Coppens, « buissonnante ». Des espèces d'*Homo,* d'australopithèques et de grands singes ont cohabité pendant des millénaires.

La facilité d'Orrorin à marcher debout fait reculer l'arrivée de la bipédie de plus de un million d'années et remet en cause le lien communément reconnu jusqu'alors entre cette bipédie et la fabrication d'outils.

Le portrait d'Orrorin

Orrorin possède à la fois des caractères archaïques et des caractères modernes. La morphologie des dents, avec un émail très épais, est archaïque. Mais le fémur, plus large que celui de Lucy, possède des caractères qui le rapprochent de l'homme. Sa bipédie paraît plus stable et plus assurée. La reconstitution fictive lui donne 1,40 m pour 50 kg, avec un faciès aplati.

Les dents laissent supposer un régime frugivore ou omnivore. L'émail épais suggère qu'il mangeait de la viande à l'occasion.

Bien que bipède, il était sans doute bon grimpeur, les arbres constituant un refuge nécessaire pour échapper aux prédateurs.

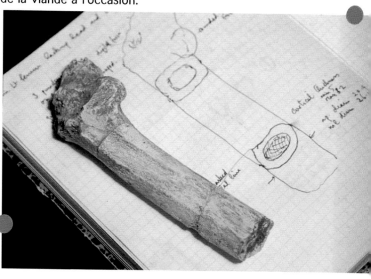

L'observation sur ce fémur gauche révèle trois traces de canines d'un carnassier, vraisemblablement un léopard.

Kenyanthropus, *l'homme à la face plate*

Découvert au Kenya à la fin du siècle mais seulement décrit en mars 2001 par Meave Leakey et son équipe, *Kenyanthropus platyops*, « l'homme à la face plate », vient à nouveau jeter le trouble dans le tableau des Hominidés.

Un nouveau genre

Il s'agit d'un crâne et de quelques dents, âgés de 3,5 millions d'années, dont les caractères permettent de penser qu'il s'agit d'un nouveau genre, ni *Homo,* ni australopithèque, ni paranthrope.

Il présente des caractères archaïques proches du chimpanzé, mais sa face plate le rapproche de l'homme.

Sa petite boîte crânienne, son cerveau réduit et l'épaisse couche d'émail qui recouvre certaines de ses dents sont des caractères différents de ceux des australopithèques connus.

Ses petites molaires laissent supposer un régime alimentaire différent ; il devait habiter une région comportant des prairies et des forêts.

La théorie du buisson renforcée

Se trouve à nouveau renforcée la théorie selon laquelle plusieurs espèces d'Hominidés auraient cohabité. Les ancêtres des hommes sont plus nombreux qu'on le croyait : l'arbre généalogique de l'humanité possède vraisemblablement plusieurs branches et ressemble davantage à un buisson.

Ardipithecus kadabba,
le rival éthiopien

Un nouveau candidat au titre de plus vieil ancêtre direct de l'homme a été découvert entre 1997 et 2001 en Éthiopie, à 230 km d'Addis-Abeba.

Âgé de 5,8 à 5,2 millions d'années, il se compose d'une mandibule, de dents, de phalanges, d'un morceau d'humérus et d'un fragment de doigt de pied. Ces restes fossiles, émanant de cinq individus, ont été regroupés sous le nom d'*Ardipithecus ramidus kadabba,* « l'ancêtre familial ». Ses phalanges sont proches de celles de Lucy, ce qui replacerait les ardipithèques, longtemps relégués au rang de singes, dans la lignée des préhumains.

Le découvreur, Yohannes Hailé-Sélassié, y voit le grand ancêtre commun à tous les Hominidés. D'après lui, l'Éthiopie serait le berceau de la lignée humaine : *kadabba* serait apparu après la séparation entre la lignée des grand singes et celle de l'homme. Il présenterait, mieux qu'Orrorin plus ancien, les caractéristiques permettant de le classer dans les Hominidés. Orrorin ne serait qu'un ancêtre possible des gorilles ou des chimpanzés, ou encore une branche morte sans descendance.

Ce que réfute Martin Pickford qui pense que la séparation hommes-singes est plus ancienne et que deux espèces d'Hominidés ont pu cohabiter, Orrorin restant, à l'époque de sa découverte, le plus ancien.

Pour Brigitte Senut, « *le nouveau fossile constitue une découverte importante, notamment par le fait que les restes, comme ceux d'Orrorin, étaient associés à un milieu forestier, alors que, pendant des décennies, on pensait que l'homme avait divergé des grands singes dans les savanes* ».

Classification des espèces selon Yves Coppens

Gorilles et chimpanzés

Homo sapiens

Homme moderne — 0

P. crassidens

H. ergaster

H. erectus

P. boiséi — 1

P. robustus

P. æthiopicus

H. rudolfensis

A. africanus

H. habilis — 2

Abel

A. anamensis — 3

Déplacement vers l'ouest

Déplacement vers le sud

A. afarensis — 4

Ardipithèque — 5

Panidés

Hominidés — 6

— 7

Morotopithèque

? — 8

— 9

Kenyapithèque

Homo sapiens : p.65
H. erectus : p.70
H. ergaster : p.94
H. rudolfensis : p.93
H. habilis : p.90
P. boisei : p.72
P. æthiopicus : p.72
P. crassidens : p.72
P. robustus : p.72
A. africanus : p.69
Abel : p.79
A. anamensis : p.78
A. afarensis : p.74
Ardipithèque : p.78
Morotopithèque : p.55
Kenyapithèque : p.57

Schéma établi avant les découvertes
d'Orrorin et de Toumaï.

Chronologie des différentes espèces d'Hominidés

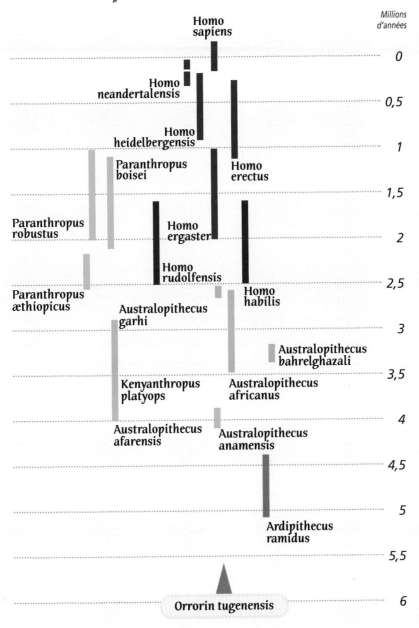

Toumaï, nouvelle remise en question ?

Une équipe franco-tchadienne dirigée par Michel Brunet a fait, en juillet 2001, une découverte qui risque de remettre en cause un certain nombre de certitudes et de déclencher les polémiques.

Le désert du Djourab, au Tchad, où a été trouvé le crâne de Toumaï.

Sahelanthropus tchadensis

Les restes composés d'un crâne, de fragments de mâchoire inférieure et de trois dents proviennent d'au moins cinq individus. Ils ont été réunis sous le nom de *Sahelanthropus tchadensis,* « l'homme du Sahel tchadien ».

Retrouvés en surface, les fossiles ont été datés grâce aux restes d'animaux trouvés sur d'autres sites. Résultat : - 7 millions d'années, donc plus âgés qu'Orrorin, le dernier en date des candidats au titre de plus ancien ancêtre de l'homme. Et, ce qui est le plus étonnant, le lieu de découverte est situé à environ 2 300 km à l'ouest de la Rift Valley. Enthousiasmés, les Tchadiens l'ont surnommé « *Toumaï* », ce qui signifie « l'espoir de vie ».

À sa présentation officielle, Michel Brunet déclarait : « *À partir de cet instant, l'ancêtre de l'humanité est tchadien. Le berceau de l'humanité se trouve au Tchad. Toumaï est votre ancêtre.* »

D'après Michel Brunet, Toumaï serait un individu mâle dont les petites canines et la face aplatie, indiquant clairement son appartenance au rameau humain, permettent de le considérer comme l'ancêtre des Hominidés.

Le crâne ne permet pas de déterminer avec certitude s'il était bipède. Il devait vivre dans un environnement fait de forêts-galeries, de savanes et de prairies.

Pour Brigitte Senut et Martin Pickford, « inventeurs » d'Orrorin, Toumaï serait plutôt une femelle de grand singe. Les caractères mis en avant par Michel Brunet seraient dus au dimorphisme sexuel. Cette découverte ne remettrait donc pas en cause la théorie de *l'East Side Story*.

Des opinions divergentes

Pour Pascal Picq, paléoanthropologiste et maître de conférences au Collège de France, Toumaï appartient bien aux préhumains et oblige à revoir certains aspects de la théorie établie.

Si les objections de Brigitte Senut et Martin Pickford sont écartées, il apparaît que Toumaï vient s'ajouter à Orrorin et *Ardipithecus ramidus kadabba* pour remettre en cause les théories précédemment établies.

Une remise en question ?

Tout d'abord parce que la divergence homme/singe apparaît bien plus ancienne qu'on le croyait. Et, surtout, parce que le lieu de la trouvaille s'oppose à la théorie de *l'East Side Story* : la Rift Valley ne serait pas le berceau africain de l'humanité.

Yves Coppens pense que le nombre de fossiles trouvés à l'ouest est infime par rapport à ceux trouvés à l'est. On ne peut écarter l'idée que quelques individus aient émigré, ce qui prouverait néanmoins que la barrière climatique et géographique créée par l'effondrement du Rift n'aurait pas été aussi infranchissable qu'on le pensait.

Le crâne de Toumaï.

Orrorin et Toumaï seraient toutefois les représentants de cette période de grands changements. Plusieurs espèces, sans doute à des degrés divers, ont dû s'adapter à la bipédie. Les australopithèques ne seraient pas le seul groupe à l'origine des Hominidés.

Les principaux sites africains

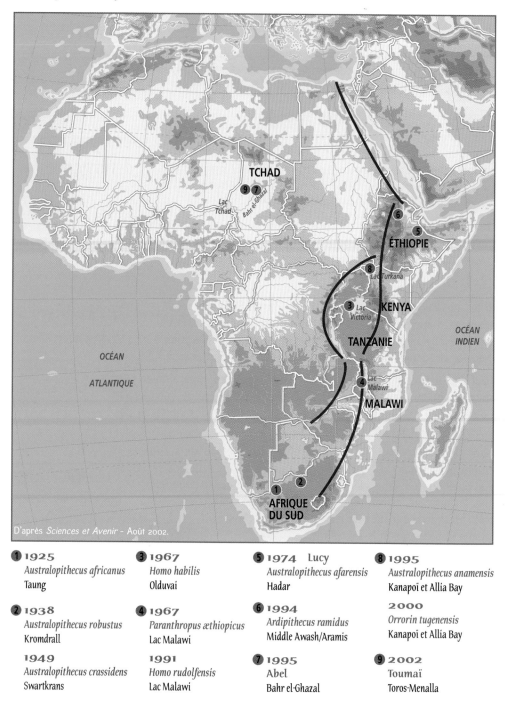

D'après *Sciences et Avenir* - Août 2002.

1 1925
Australopithecus africanus
Taung

2 1938
Australopithecus robustus
Kromdrall

1949
Australopithecus crassidens
Swartkrans

3 1967
Homo habilis
Olduvai

4 1967
Paranthropus æthiopicus
Lac Malawi

1991
Homo rudolfensis
Lac Malawi

5 1974 Lucy
Australopithecus afarensis
Hadar

6 1994
Ardipithecus ramidus
Middle Awash/Aramis

7 1995
Abel
Bahr el-Ghazal

8 1995
Australopithecus anamensis
Kanapoï et Allia Bay

2000
Orrorin tugenensis
Kanapoï et Allia Bay

9 2002
Toumaï
Toros-Menalla

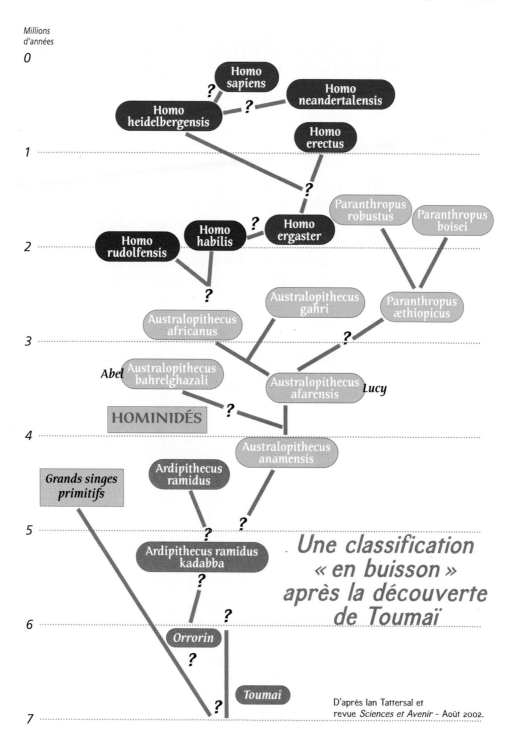

Une classification
« en buisson »
après la découverte
de Toumaï

D'après Ian Tattersal et
revue *Sciences et Avenir* - Août 2002.

LES PREMIERS HOMMES

LES PREMIERS HOMMES

En 1959, alors que le plus ancien des hommes connus est *Homo erectus* daté de 1,7 million d'années, on découvre un australopithèque robuste ou paranthrope, *A. boisei,* âgé de 1,75 million d'années. Ce qui laisse supposer, contrairement aux théories établies, que ces deux espèces ont pu cohabiter.

Depuis 1935, après la découverte d'un outil taillé dans les gorges d'Olduvai, Louis et Mary Leakey cherchent inlassablement les restes de celui qui l'a façonné. À cette époque, l'outil est considéré comme un élément primordial de l'hominisation.

Le 14 juillet 1959, Mary Leakey découvre des os sortant de couches de sédiments : ce sont les restes d'un australopithèque robuste qu'on surnomme « *Dear Boy* ». Elle est ainsi renforcée dans son idée que le paranthrope est très proche de l'homme et que l'Afrique est bien le berceau de l'humanité ainsi que l'avait prédit Darwin.

Homo habilis

D'autres fossiles sont dégagés et c'est en 1964 qu'est rendue publique la découverte d'*Homo habilis* à qui seront attribués tous les outils trouvés sur le site d'Olduvai.

Le fait que les paranthropes et les hommes ont été contemporains semble établi mais est toujours contesté par des paléontologues persuadés qu'il est impossible que deux lignées aient pu coexister.

Ce sont les découvertes en 1985 sur les rives du lac Turkana d'un squelette surnommé « *Turkana Boy* » puis, en 1987 à Olduvai, de « la fille de Lucy » qui vont confirmer la théorie de la coexistence et remettre en cause le principe de l'évolution linéaire des lignées. On admet alors l'existence de la grande famille des Hominidés comprenant les hommes, les australopithèques et les grands singes africains.

Les restes d'*Homo habilis* ont été découverts de 1961 à 1964 sur le site d'Olduvai en Tanzanie. Son apparition, il y a environ 2 millions d'années, semble coïncider avec un assèchement relativement brusque de la région du fleuve Omo qui rend la savane clairsemée. On attribuera la survie du genre *Homo* à ce changement climatique et végétal au fait que ses capacités d'adaptation sont supérieures à celle des australopithèques : sa bipédie est plus marquée, son cerveau plus développé lui permet de mettre au point des techniques de chasse dans un environnement différent et d'adopter un régime alimentaire correspondant.

Site d'Olduvai, Tanzanie.

Le portrait d'*Homo habilis*

La capacité crânienne d'*Homo habilis* varie de 500 à 800 cm^3 ; la voûte crânienne est plus allongée que chez les australopithèques et la région de l'occipital s'arrondit.

Le bourrelet au-dessus de l'œil existe, mais il est plus faible que chez ses prédécesseurs. La face, réduite en hauteur, s'aplatit ; le palais est plus profond et la mâchoire moins massive.

Il est essentiellement végétarien mais sa dentition est orientée vers un régime omnivore : les canines sont plus grandes et les autres dents plutôt étroites et longues. On a retrouvé près des sites habités des restes osseux de grands mammifères.

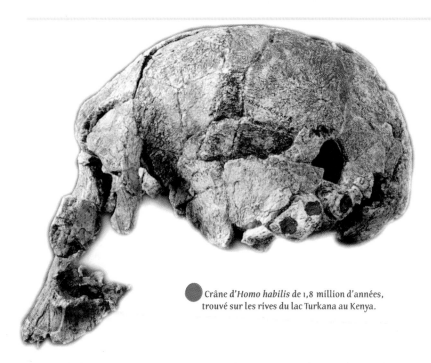

Crâne d'*Homo habilis* de 1,8 million d'années, trouvé sur les rives du lac Turkana au Kenya.

Homo habilis a le cerveau plus développé que celui de l'australopithèque. Il est bipède et sait fabriquer des outils rudimentaires. Il installe ses campements à proximité d'un point d'eau, lac, rivière ou marais.

Les premiers outils façonnés par *Homo habilis* sont sans doute liés à la chasse et au dépeçage des animaux. Les plus anciens sont des choppers, galets à l'extrémité desquels quelques éclats ont été enlevés.

On ne sait pas avec certitude si *Homo habilis* s'exprimait autrement que par des cris. L'étude de son crâne révèle que les zones spécifiques du langage sont bien développées.

Chopper.

Galet aménagé.

Homo rudolfensis

La position d'*Homo habilis* en temps que premier homme va se com-
pliquer une première fois avec la découverte sur les rives du lac
Turkana, anciennement lac Rodolphe, des restes d'*Homo rudolfensis*
qui, daté de - 2,4 à - 1,7 million d'années, apparaît comme le contemporain de *Homo habilis* ayant vécu de - 2,5 à - 1,6 Ma.

Ces deux fossiles présentent des différences :
H. rudolfensis est plus grand (1,50 m) que
H. habilis (1,20 m), son cerveau plus volumineux (750 cm³ contre 650), ses molaires
sont plus larges et ses membres inférieurs plus proches des humains
actuels.

Les paléontologues hésitent à en
faire une sous-espèce d'*habilis* ou
une espèce différente. Certains
vont jusqu'à penser que *rudolfensis* est le mâle et *habilis* la
femelle, bien que les différences
morphologiques infirment cette
théorie.

La question se pose alors
de savoir si l'on a trouvé
« le » premier homme ou
« les » premiers hommes.

Démoplastie (avant pose des cheveux
et des sourcils) pour le musée
allemand de Neandertal, d'après le
crâne d'*Homo rudolfensis*.

Homo ergaster

La chose se complique encore avec, en 1975, l'étude d'une mandibule trouvée auparavant au Kenya et attribuée à *Homo erectus*.

Des paléontologues proposent le terme de *Homo ergaster,* notion qui sera renforcée par les travaux de Bernard Wood, de l'Université de Washington (États-Unis). Il définit l'homme comme grand, fortement encéphalisé et affranchi du monde des arbres, ce qui excluerait *habilis* et *rudolfensis* des sous-espèces d'*Homo sapiens*.

Homo ergaster est âgé de 1,8 à 1,7 million d'années, mesure 1,75 m et son cerveau atteint 900 cm³. Il a définitivement abandonné la locomotion arboricole.

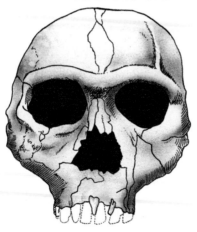

Est-il le premier « grand homme » ? Des paléontologues préfèrent en faire une troisième espèce d'*Homo habilis,* d'autres une espèce ancienne d'*Homo erectus*.

Quoi qu'il en soit, la classification du genre *Homo* se trouve remise en cause. Alors que, pendant longtemps, on avait admis une évolution linéaire, les espèces se succédant les unes aux autres, il faut envisager une évolution en mosaïque (ou en buisson) dans laquelle plusieurs caractères évoluent différemment au sein d'espèces qui sont contemporaines.

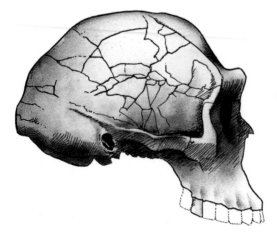

Reconstitution du crâne d'*Homo ergaster.*

Homo georgicus, *le plus vieil Européen ?*

Mis au jour sur le site de Dmanissi en Géorgie par une équipe de chercheurs franco-géorgiens parmi lesquels figure Marie-Antoinette de Lumley (directeur de recherche au CNRS, affectée au laboratoire de préhistoire du Muséum d'histoire naturelle), deux crânes, un métatarsien et deux mandibules sont venus remettre en cause la nature du plus vieil *Homo* européen en même temps que l'ancienneté de l'émigration en Europe de l'ancêtre africain.

Une nouvelle espèce

Les premiers restes, datés de - 1,7 millions d'années, avaient d'abord été attribués à *Homo ergaster*.

La découverte en septembre 2000, de la deuxième mandibule, datée de - 1,81 millions d'années, a remis en question cette attribution.

Marie-Antoinette de Lumley décrit cette mandibule comme « *allongée, étroite et épaisse, alors que celle de l'homme d'aujourd'hui est en comparaison plus courte, plus large et plus mince* ».

L'examen de la dentition présente des dents très usées, signes d'une alimentation composée d'aliments durs et fibreux.

Les canines sont très fortes et les prémolaires très grandes, avec deux racines. Par ailleurs, son cerveau est moins développé que celui qu'on attribuait à l'espèce *Homo*.

Ces caractères archaïques ne correspondent pas à la description d'*Homo erectus* ou d'*Homo ergaster*.

Les deux crânes trouvés à Dmanissi (Géorgie).

De ce fait, les paléoanthropologues se sont vu contraints de créer une nouvelle espèce à laquelle ils ont donné le nom d'*Homo georgicus*.

Cela en fait un nouvel ancêtre du genre humain, le plus ancien connu à ce jour en Europe.

Une remise en question

On ne pensait pas que l'émigration de l'ancêtre africain vers l'Europe était aussi ancienne.

Marie-Antoinette de Lumley pense qu'« *il est vraisemblable qu'il y a eu un peuplement de l'Eurasie par un type humain qu'on ne connaissait pas encore, proche d'*Homo habilis *et qui annonce l'émergence d'*Homo ergaster. *La découverte de Dmanissi évoque une diffusion très ancienne de l'Afrique vers l'Eurasie par le couloir du Levant entre 2 millions et 1,8 million d'années* ».

Cette découverte renforce également la théorie de l'évolution en mosaïque (ou en buisson) par rapport à la théorie classique de l'évolution gradualiste et linéaire. Pascal Picq précise (dans *Aux origines de l'humanité*, l'ouvrage qu'il a codirigé avec Yves Coppens) : « *Nous ne sommes plus dans un schéma de continuité linéaire, mais dans celui d'une continuité multiforme. Et l'on passe d'une espèce à l'autre avec des caractères qui évoluent différemment.* »

Citons encore Pascal Picq : « *La découverte d'une nouvelle espèce humaine, dotée de traits archaïques, en Géorgie, change beaucoup de choses pour la sortie d'Afrique. Elle implique aussi une redéfinition du genre* Homo, *car pratiquement pour la même période cohabitent différents représentants du genre humain :* Homo habilis, rudolfensis, ergaster *et* georgicus.

*À Dmanissi, nous sommes très éloignés de la définition de l'homme forgée en 1978 par Francis Clark Howell, qui implique un cerveau assez développé et des mâchoires assez réduites, alors qu'*Homo georgicus *possède une mâchoire puissante, des canines robustes et un cerveau peu développé.* »

Des polémiques en perspective

Cette découverte risque de déclencher de nouvelles polémiques sur la nature du premier homme. Rappelons que certains paléoanthropologues n'accordent pas la nature humaine à *Homo habilis* et *rudolfensis* (voir p. 94 et tableau p. 97).

Chronologie du genre Homo

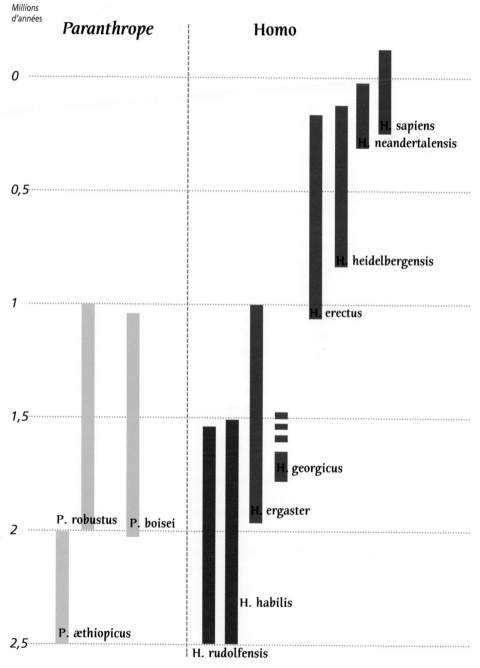

En conclusion :
la recherche du premier homme

Si la définition de l'homme semble possible en ce qui concerne les êtres vivants, elle paraît extrêmement aléatoire pour les fossiles.

Quels sont les caractères déterminants indiscutables qui permettent de dire qu'un os ou une dent proviennent d'un homme et non d'un animal ? Les critères sont obligatoirement subjectifs et diffèrent parfois selon les anthropologues et à la lumière de nouvelles découvertes. Toute théorie n'a qu'un temps et se trouve, à plus ou moins long terme, remise en question.

Les différences fondamentales constatées sur les êtres vivants sont concentrées au niveau du cerveau et de l'intelligence. Or, ce sont le squelette et la denture qui constituent l'essentiel des restes mis au jour. Les comparaisons faites avec les êtres vivant actuellement sont aléatoires du fait de conditions environnementales très différentes et parfois mal connues.

La bipédie, longtemps considérée comme un critère déterminant, ne l'est plus aujourd'hui, puisque des australopithèques et même des singes ont pu la pratiquer. Quant à la vie arboricole, rien ne prouve que des hommes n'ont pas dû y recourir pour échapper aux prédateurs.

En ce qui concerne les manifestations de l'intelligence réservées aux humains, peu de traces sont décelables en deçà de l'époque des « signes » et des peintures rupestres. Si elles ont existé, elles ont disparu.

Par ailleurs, on connaît mieux aujourd'hui, pour les avoir mieux étudiées, l'intelligence animale et les possibilités des singes dans l'usage et la fabrication de l'outil.

...a-t-elle un sens ?

Il est compréhensible - et humain - qu'un paléonto-logue soit persuadé que sa dernière découverte est l'ancêtre que tout le monde recherche. Cela s'est produit souvent au siècle dernier où un fossile était rapidement baptisé « l'Homme de... » et tout récemment pour Toumaï, la dernière en date des « découvertes du siècle ».

Les paléontologues en compétition

On a dit que la génétique allait résoudre tous les problèmes. Mais après les certitudes - comme celle de l'origine africaine de l'homme (« l'Ève afri-caine ») - arrivent les contestations.

La génétique est-elle la solution ?

La génétique est une affaire de spécialistes ; les articles publiés* en montrent la complexité. Il n'est pas facile d'obtenir des échantillons d'ADN sur des fossiles âgés de plusieurs millions d'années. Des contestataires se manifestent en mettant en cause les conclusions hâtives faites d'après des études jugées insuffisantes sur le plan statistique.

* Aux origines de l'humanité, chapitre « La génétique au service de la quête de nos origines », P. Picq et Y. Coppens, Fayard.

L'origine africaine de l'homme est aujourd'hui remise en ques-tion. Il est possible que les migrations ne se soient pas faites dans le sens que l'on croyait et que l'homme ne soit pas apparu dans un seul lieu.

Une remise en question générale

Le nationalisme pousse certains pays - asiatiques en particulier - à entreprendre des recherches pour réfuter l'origine étrangère de leur population.

On peut penser que le troisième millénaire va connaître de nom-breuses découvertes, une grande quantité de nouvelles théories et, peut-être, une interrogation encore plus grande sur la véritable origine de l'humanité.

Abri-sous-roche : emplacement situé sous un surplomb rocheux ayant servi d'habitation à l'époque préhistorique (64).

ADN : molécule porteuse de l'information génétique et responsable de l'hérédité (11, 12, 35, 38, 99).

Anthropologie : d'abord étude de l'homme dans son comportement, elle comprend également l'histoire des groupes humains vivant en sociétés et de leurs comportements (35, 38).

Arborescence : enchaînement similaire à celui des branches sur le tronc d'un arbre (44, 45, 51, 54).

Bases de l'ADN : constituants azotés des acides nucléiques, dont l'ADN : adénine, guanine, cytosine, thymine ou uracile (35).

Biface : outil de pierre façonné par percussion présentant une extrémité pointue et une base arrondie (58, 60, 71).

Biologie moléculaire : science qui étudie les molécules et les macromolécules des constituants de la cellule (35).

Caryotype : ensemble des chromosomes d'un individu, spécifique d'une espèce donnée (35).

Chaman, chamanique : le chaman est un prêtre magicien qui communique avec les esprits par l'extase ou la transe. Toute pratique qui s'en rapproche est dite chamanique (34).

Chromosome : structure en forme de bâtonnet, située dans le noyau cellulaire, porteuse des facteurs déterminants de l'hérédité (35).

Cognitif, tive : qui permet de connaître ou d'accéder à la compréhension, en particulier de son environnement (30).

Cortex cérébral : ruban de substance grise situé à la surface des hémisphères cérébraux et formé par les corps cellulaires des neurones, cellules du système nerveux (12, 22, 35).

Créationnisme : théorie selon laquelle les êtres vivants ont été créés subitement et isolément par espèces fixes et immuables. Elle s'oppose au transformisme et à la théorie de l'évolution (évolutionnisme) (47, 48).

Darwinienne (théorie) : concerne la théorie de l'évolution selon laquelle les lignées animales ont évolué selon le principe de la sélection naturelle (46, 50).

Dimorphisme sexuel : ensemble des différences entre le mâle et la femelle d'une même espèce (7, 18, 87).

Dolichocéphale : dont le crâne est plus long que large, le contraire étant *brachycéphale* (64).

Ève africaine : allusion à l'hypothèse selon laquelle tous les hommes descendraient d'une même mère originaire d'Afrique australe (99).

Faille : cassure des couches géologiques accompagnée d'un déplacement latéral ou vertical des deux parties séparées (40, 46, 76).

Forêt-galerie : forêt dense formant de longues bandes de part et d'autre d'un cours d'eau de la savane (87).

Gène : segment d'ADN conditionnant la synthèse d'une ou de plusieurs protéines, et donc la manifestation et la transmission d'un caractère héréditaire déterminé (12, 35, 50).

Génome : ensemble du matériel génétique, c'est-à-dire des chromosomes et des gènes d'une cellule (11, 35, 50).

Hémisphère cérébral : chacune des deux moitiés du cerveau antérieur (23).

Hominisation : ensemble des processus évolutifs ayant permis le passage des premiers Primates à l'homme (29, 38, 42, 43, 90).

Larynx : organe de la phonation situé entre le pharynx (carrefour des voies respiratoires et digestives) et la trachée (canal qui sert de passage à l'air inspiré) (11, 22, 25, 64, 72).

Neandertal : qui provient de la vallée du Neander en Allemagne ; s'est écrit *Neander Thal* puis *Neanderthal*. L'orthographe couramment adoptée aujourd'hui est *Neandertal* (58, 60, 62, 63, 64, 65, 85, 89, 97).

Nécrophage : qui se nourrit de cadavres (29).

Paléoanthropologue : scientifique qui s'intéresse à la fois à la paléontologie (étude des fossiles d'êtres vivants) et à l'anthropologie (4, 6, 16, 25, 29, 35, 37, 43, 96).

Paléolithique : période de la préhistoire différente selon les régions du globe et caractérisée par l'apparition de l'industrie de la pierre (33).

Pariétal : concerne les dessins ou gravures sur les parois d'une grotte (19, 33).

Pharmacopée : ensemble de remèdes ou de médicaments (34).

Phonation, phonatoire : facteurs qui concourent à la production de sons vocaux (25).

Pictogramme : dessin ayant une signification (mot ou ensemble de mots) (25).

Pongidés : famille de singes anthropoïdes comprenant le chimpanzé, l'orang-outan et le gorille (36, 45).

Postfœtale : la période postfœtale est celle qui commence à la naissance (10).

Préhensile : qui permet la préhension, c'est-à-dire la prise d'objet grâce à la possibilité d'opposer le pouce aux autres doigts (6, 7, 8, 9, 14, 15, 53).

Prognathe : dont les os maxillaires forment saillies (mâchoires en avant) (21).

Psychotonique : substance ayant une action stimulante ou excitante sur l'activité cérébrale (34).

Rupestre : réalisé sur les rochers (33, 98).

Sus-orbital : situé au-dessus de l'œil (orbite) (19).

Tectonique : partie de la géologie qui étudie la déformation des terrains sous l'action des forces internes du globe terrestre (41).

Trou occipital : trou de l'os occipital par où passe l'axe cérébro-spinal (encéphale et moelle épinière). Son orientation détermine la possibilité de bipédie (13, 21, 91).

Tubercule dentaire : relief de la couronne dentaire appelé *cuspide* (18).

QUELQUES OUVRAGES
pour se documenter et réfléchir

Aux origines de l'humanité
   sous la direction de Pascal Picq et
   Yves Coppens
      Librairie Arthème Fayard - 2001.

HOMO, histoire plurielle d'un genre très singulier
   Claude-Louis Gallien
      Éditions Presses Universitaires
         de France - 1998.

Qu'est-ce que l'homme ?
   Luc Ferry et Jean-Didier Vincent
      Éditions Odile Jacob - 2001.

La Plus Belle Histoire du monde -
Les secrets de nos origines
   Yves Coppens, Joël de Rosnay,
   Hubert Reeves et Dominique Simonnet
      Éditions du Seuil, 2001.

Lucy, les origines de l'homme
   Yves Coppens
      BT Sonore, Éditions PEMF - 1993.

Homo, le genre humain
   Robert Poitrenaud et Georges Delobbe
      30 mots pour comprendre,
         Éditions PEMF - 2000.

Index

Index

* Mot fréquemment utilisé dans l'album.

En couverture :

Moulages des bustes de l'*Homo georgicus*
mâle et femelle, d'après les crânes
découverts sur le site de Dmanissi
(Géorgie) ; en arrière-plan, vue générale
du site avec les vestiges moyenâgeux.
© Eurélios/Atelier Daynes/Philippe Plailly

En haut :
Racloir (– 50 000 ans).
Photothèque PEMF

Bandeau :
Crâne d'*Homo habilis* (– 1 800 000 ans).
© Musée de l'Homme/J. Oster

Chopper.
Photothèque PEMF

Vénus à la corne, grotte de Laussel, Marquay (Dordogne).
© Jean Vertut

Crâne d'*Australopithecus boisei*.
© Musée de l'Homme/J. Oster

Crédits iconographiques

Eurélios/Philippe Plailly : p.4, 61, 67, 69, 80, 81, 93, 95 ; /Philippe Gontier : p.24 ; /Gouram
Tsibakhashvili : p.39 ; /P. Dumas : p.79 - Musée de Tautavel : p.5, 71 *(haut)* - Sunset/Animals
Animals : p.7, 8 ; /Lacz : p.28 ; /NHPA : p.31 ; /FLPA : p.54 ; /Loek Polders : p.77 - Illustration extraite
du livre de Claude-Louis Gallien, *Homo, histoire plurielle d'un genre très singulier* (© PUF, 2ᵉ édition,
1998) : p.13, 21 *(haut)*, 25, 71 *(bas)*, 72 *(bas gauche)* - Illustration extraite du *Grand Atlas de l'anatomie*,
dirigé par Philippe Auzou (© Éditions Philippe Auzou, Paris, 1997)/Dominique Guéveneux (DR) : p.14
(bas droite), 15 *(bas droite)* - Illustration extraite de *La Grande Encyclopédie des mammifères*, adaptation française de Bruno Porlier et Michel Cuisin, Librairie Gründ, Paris (édition originale © Aventinum
Nakladatelstvi, Prague, 1995)/Jaromir Knotek et Libuse Knotkova : p.15 *(bas gauche et milieu)*, 17 *(haut
et milieu)*, 19 *(bas)*, 20 *(haut et bas)* - Michel Lorblanchet : p.23 - Gamma/P. Aventurier : p.29 ; /Fanny
Broadcast : p.66 *(bas)* - Musée de paléontologie humaine de Terra Amata, Mairie de Nice : p.32 *(bas)*
- Jean Vertut : p.34 - Rapho/G. Gerster : p.41 ; /Ghislaine Bras : p.91 *(haut)* - Lauros-Giraudon :
p.47 - AKG Paris : p.48, 49, 55 *(bas)*, 68 *(gauche)*, 73 *(bas)* ; /Johann Brandstetter : p.68 *(droite)*
- Hémisphères/Stéphane Francès : p.57, 76 - Musée de l'Homme : p.63 *(bas)* ; /J. Oster : p.65
(gauche), 72 *(bas droite)*, 92 *(haut)* - Georges Delobbe : p.64 - Réunion des Musées nationaux :
p.66 *(haut)* - Musée de Préhistoire régionale/Pierre-Elie Moullé : p.70 - D. Geraads : p.75, 92 *(bas
droite)* - AFP : p.86, 87 - DR : p.19 *(haut)*, 32 *(haut)*, 33, 92 *(bas gauche)*.

Recherche iconographique : Christiane FRANCHETTI.

Illustrations : Bernard NICOLAS, p.11, 14, 15, 17 (bas), 18, 21 *(bas)*, 22, 52, 55, 56, 74, 94 - Jérôme BERTRAND,
p.58, 59, 63, 65, 72, 73, 91.

Secrétariat de rédaction et corrections : Karine DELOBBE.

Maquette, cartographie, infographie : PEMF.

Maquette de la couverture : Studio Mango - PEMF.

Imprimé en France par : Imprimerie Moderne de l'Est (Baume-les-Dames, Doubs).

Dépôt légal : Janvier 2003

N° Éditeur : 2003/10055

© PEMF,
Mouans-Sartoux (Alpes-Maritimes) - 2002